Recetario de Cocina Mexicana

Tomo I

La cocina mexicana hecha fácil

Diana Baker

CATEGORÍA: Recetas de Cocina

Impreso en los Estados Unidos de América

SBN-10: 1-64081-008-0
ISBN-13: 978-1-64081-008-2
:

ÍNDICE

INTRODUCCIÓN

Hoy en día la cocina mexicana es popular en casi todas partes del mundo. Su gastronomía se caracteriza por ser muy variada y rica en sabores distintivos y exóticos. Los platos y bebidas tradicionales contienen sabores y texturas de gran delicadeza y hasta los sabores fuertes, intensos y amargos se han hecho populares por doquier.

La gastronomía de México se caracteriza por la originalidad y diversidad en cada uno de sus platillos, y origen único de su elaboración que son resultado de cientos de años de cultura gastronómica iniciada desde las primeras civilizaciones indígenas.

Son muchos los ingredientes y condimentos que diferencian cada preparación, y el novato quizás vea la cocina mexicana como 'un idioma extraño'. Sin embargo al comprender la complejidad de la elaboración te darás cuenta que no todo es tan difícil, y uno comienza a acostumbrarse a utilizar los ingredientes más típicos y reconocer sus sabores.

Para el que ama la cocina mexicana y disfruta preparar nuevos platillos, este libro será un reto muy tentador. Y yo estoy aquí para brindarte todas las herramientas necesarias.

Es un gran placer para mí compartir esta obra y acompañarte, de algún modo, siempre que te dispongas a elaborar un platillo al estilo mexicano.

El *Recetario de Cocina Mexicana* es la cocina mexicana hecha fácil. Porque lo he confeccionado con la idea de simplificar cada obstáculo que se presenta al elaborar estos platillos típicos.

Es mi deseo que cada una de las siguientes recetas sea una aventura de aprendizaje y nuevos sabores... pero sobre todo, espero puedas disfrutarlas junto a quienes más amas.

Sólo queda empezar....y a paso firme no aflojar.

Diana Baker

PD: Por favor, no olvides revisar todas las herramientas que este recetario contiene para hacer la elaboración de cada receta más fácil.

CÓMO UTILIZAR
ESTE RECETARIO

Este libro ha sido preparado con cariño para ti. Sé que te atraen los sabores tan exquisitos de la cocina mexicana, y mi objetivo es que descubras cuán fácil es elaborarlos.

Para sacar el mayor beneficio de este Recetario, toma unos minutos para leer estos consejos antes de ir directamente a las Recetas. Debajo encontrarás una serie de herramientas que serán de una gran ayuda cuando elabores las comidas.

Glosario

Es muy importante que eches un vistazo al Glosario (aunque más no sea una lectura rápida).

¿Qué me ofrece el glosario?

El Glosario es la herramienta que debes utilizar cuando encuentres en la receta un término o ingrediente que desconoces. Allí puedes consultar datos e información (incluso fotos) que te ayudará a conocer el ingrediente o reemplazarlo si fuese necesario.

El Glosario es una herramienta útil de consulta permanente y es importante que lo tengas presente en todo momento.

Antes de llegar a la sección de Recetas encontrarás no sólo el Glosario y Equivalencias en las Medidas sino también las siguientes secciones de ayuda:

Equivalencias de Medidas

Esta es otra herramienta muy práctica ya que te resuelve las cantidades a usar. Las medidas se pueden dar en gramos o en tazas etc. y esta tabla te da la equivalencia según tu preferencia. No dejes de consultarla porque te ahorrará mucho tiempo.

Equivalencias de Temperatura

La temperatura del horno se puede dar de diferentes maneras: según los ° C (Centígrados), ° F (Fahrenheit), gas o en términos de calor como moderado o medio-bajo etc.

Esta tabla te simplifica todo ya que aclara las equivalencias de cada método.

Equivalencias de Cantidades

Si la receta da los ingredientes para una cantidad de comensales mayor o menor de lo que tú quieres, esta guía práctica te ayudará a aumentar o reducir las cantidades en base a los comensales.

Tips, o ayuditas, para remediar los percances en la cocina.

A todos nos pasa. Salamos por demás la comida…se nos quema…y por dentro va la pregunta ¿qué puedo hacer ahora? En esta sección puedes encontrar unas ayuditas para esos momentos de frustración.

Preguntas Frecuentes

¿Cómo puedo sustituir los ingredientes?

Sé que a menudo en ciertos países resulta imposible hacerse de todos los ingredientes que requiere una receta mexicana. Por eso he confeccionado el Glosario, para ayudarte a sustituir los ingredientes originales por otros con características similares y que sí puedas encontrar en tu país.

¿Por qué el Glosario y no una lista de sustitutos?

Sería un imposible e interminable intentar recopilar cada sustituto posible para tantos ingredientes y para tantos países diferentes.

Los alimentos difieren mucho de país en país y lo más recomendable para cada cocinero, quien conoce mejor los gustos y sabores de su propia región, es considerar el sustituto correcto en base a la información proporcionada por el Glosario.

En el Glosario encontrarás una descripción breve de cada ingrediente. De esa manera, al conocer su característica, podrás reconocer al sustituto correcto y comprarlo en tu mercado habitual. Por ejemplo en el caso de los quesos, que muchas veces tienen diferentes nombres, texturas y sabores, de acuerdo al país y la región, encontrarás información sobre cada uno en el Glosario y de esta forma sabrás cómo reconocerlo y/o reemplazarlo adecuadamente.

¿Dónde puedo encontrar productos mexicanos?

La cocina mexicana se ha hecho muy popular en todo el mundo y en los últimos años los países están importando cada vez más productos mexicanos, por lo que te sugiero que primeramente investigues en los supermercados más grandes, en la sección de alimentos extranjeros, o en tiendas de alimentación especial. Otra buena opción es caminar por los vecindarios donde suelen vivir gran cantidad de mexicanos, allí seguro encontrarás productos regionales y como mínimo, podrás recoger información útil de dónde adquirirlos.

Consideraciones

Las Recetas

Es muy importante que leas toda la receta antes de empezar la elaboración. Es frustrante llegar a la mitad de un hermoso platillo para encontrar que no tienes uno de los ingredientes o que no sabes cómo seguir por no entender cómo hacerlo. Se debe leer la receta entera para saber los ingredientes a usar y entender los pasos para lograr ese plato escogido, y hacerlo con seguridad y placer.

Las fotos

Tomar fotos de todas y cada una de estas recetas es un trabajo enorme, al menos para mí que no me llevo bien con estos aparatos. Por suerte he podido recurrir a diversas fuentes para retratar cada platillo terminado.

Ahora bien, lo que quiero decirte es que las fotografías son sólo ilustrativas. ¿Qué quiero decir con esto? Que si preparo el platillo por segunda vez ¡no me saldrá exactamente igual!

Por eso, tampoco tú pretendas imitar las fotografías de mis platillos. La foto es sólo una guía para conocer mejor la comida. Te puedo asegurar que la misma receta, hecha por dos chefs, tendrá el 99% de las veces un aspecto completamente diferente.

No te estanques en copiarlo igual que la foto. Eso no es lo importante. La receta que tú haces es tuya propia y contiene tu sello, tu estilo. No dejes de lado tu impronta personal por nada del mundo.

Tu propia receta

Algo similar quiero decirte respecto a la elaboración y ejecución de cada receta. Es importante a tener en cuenta que las recetas son una guía para llegar a un plato deseado. Solamente una guía.

Puedes seguir al pie de la letra cada receta y eso está muy bien. Pero más interesante aún es que cada receta que elabores lleve tu toque personal. No te preocupes si la receta ha salido distinta, si omitiste un ingrediente o le agregaste otro. Experimenta y haz tus propias recetas de acuerdo a tus gustos y los de tu familia.

No te sientas derrotado/a por no haber logrado seguir fielmente la receta, más bien siéntete orgulloso/a por haber creado una nueva variante de ese platillo. Al fin y al cabo, esto es lo que ha pasado a lo largo de la historia de la gastronomía mexicana (y del mundo)... los platillos van mutando en la medida que son adoptados por nuevas culturas y se diseminan por diferentes áreas geográficas, logrando así nuevas combinaciones, sabores, texturas... creo que entiendes de lo que hablo.

Así que, modifica todo cuanto desees para hacer las tuyas… este recetario tiene como fin que disfrutes haciendo los platos y domines la receta sin sentir que la receta te domina a ti.

TABLAS DE EQUIVALENCIAS

Estas son las medidas tradicionales que se utilizan en la cocina anglosajona y de algunos países de Europa. Encuentra las equivalencias en las tablas debajo para convertir cada medida correctamente. Ten en cuenta que todas las medidas son redondeadas para lograr menor complejidad a la hora de realizar cálculos.

PESO
¾ oz ....20 g
1 oz ....25 g
1 ½ oz .... 40 g
2 oz ....50 g
2 1/2oz .... 60 g
3 oz ....75 g
1 libra (lb) ......450 g
2 libras (lbs) ....900 g
2.2 libras ....1 kilo o 35 oz
3 libras ....1350 g

LÍQUIDOS
¼ taza (cup)................60 ml
1/3 taza ....80 ml
½ taza ....120 ml
1 taza ....240 ml.
1 cucharada (tablespoon)....15 ml
1 cucharadita (teaspoon) ... 5 ml
1 onza (fluid ounce) ....30 ml
1 pinta (pint) ....500 ml
1 pinta británica ....600 ml
1 US quart ....1 litro
1 galón americano ....3.8 litros
1 galón británico............. 4.5 litros

Equivalencias para medidas comunes

Las tablas a continuación te permitirán utilizar tus utensilios preferidos o los que tienes a mano. Sólo debes buscar el tipo de utensilio (o tipo de medida) que deseas utilizar y descubrirás cómo reemplazarlo.

CUCHARAS
1 cucharadita ......5 g
1 cucharada ....15 g
16 cucharadas .....1 taza

MILILITROS
1 ml ,,,,,,,,,,,,,,,,,,,,,,,,..¼ cucharadita
5 ml ....1 cucharadita
20 ml ....1 cucharada
80 ml ....1/3 taza
125 ml (0.12 litro .....½ taza
250 ml (1/4 litro) ..... 1 taza o 16 cucharadas
½ litro .... 1 pint
4 litros .... 4 quarts o 1 galón

TAZAS PARA LÍQUIDOS
1 taza ....250 ml o ¼ litro o 16 cucharadas
½ taza ......125 ml
1/3 taza ......80 ml
¼ taza ....60 ml

GRAMOS PARA LÍQUIDOS
5 g = 60 gotas
10 g = 2 cucharaditas
15 g =3 cucharaditas

Equivalencias para ingredientes comunes

La tabla que sigue a continuación te permitirá obtener las proporciones adecuadas en función del ingrediente y tu método preferido de medición (tazas, gramos u onzas).

Recuerda que 1 taza de azúcar y 1 taza de harina no pesan igual, pues ambos tienen diferente composición. En este caso, la taza de harina será más liviana. Así pues, para ayudarte cuando te enfrentes a una situación similar consulta esta tabla con los ingredientes más comunes.

Ingrediente	1 taza		½ taza		1/3 taza		¼ taza	
Arroz crudo	190g	6.6oz	95g	3.3oz	65g	2.3oz	48g	1.7oz
Avena	90g	3.1oz	45g	1.6oz	30g	1oz	22g	0.8oz
Azúcar granulada	200g	7oz	100g	3.5oz	65g	2.3oz	50g	1.7oz
Azúcar en polvo	100g	3.5oz	50g	1.75oz	35g	1.2oz	25g	0.87oz
Azúcar morena (compacta)	180g	6.3oz	90g	3.15oz	60g	2.1oz	45g	1.57oz
Harina de trigo	120g	4.2oz	60g	2.1 oz	40g	1.4oz	30g	1oz
Harina de maíz	160g	5.6oz	80g	2.1oz	50g	1.7oz	40g	1.4oz
Maicena	120g	4.2oz	60g	2.1 oz	40g	1.4oz	30g	1oz
Macarrones	140g	4.9oz	70g	2.4oz	45g	1.6oz	35g	1.2oz
Manteca	240g	8.4oz	120g	4.2oz	80g	2.8oz	60g	2.1oz
Nueces picadas	150g	5.2oz	75g	2.6oz	50g	1.7oz	40g	1.4oz
Nueces enteras	120g	4.2oz	60g	2.1 oz	40g	1.4oz	30g	1oz
Queso rallado	90g	3.1oz	45g	1.6oz	30g	1oz	22g	0.8oz
Sal	300g	10.5oz	150g	5.2oz	100g	3.5oz	75g	2.6oz
Pan rallado	150g	5.2oz	75g	2.6oz	50g	1.7oz	40g	1.4oz

Equivalencias para la temperatura del horno

La tabla a continuación no te dejará fallar a la hora de utilizar el horno. Es bien sabido que los valores de temperatura varían en función a cada tipo de horno y claro, al país donde uno vive.

Utiliza la siguiente tabla para regular la temperatura de tu horno de manera correcta.

Fahrenheit	Centígrados	Gas	Calor
225	110	1/4	Muy bajo
250	120/130	1/2	Muy bajo
275	140	1	Bajo
300	150	2	Bajo
325	160/170	3	Moderado
350	180	4	Moderado
375	190	5	Medio
400	200	6	Medio
425	220	7	Caliente
450	230	8	Caliente
475	240	9	Muy Caliente

Convertir una receta de acuerdo a los comensales

Todos hemos enfrentado esta situación y resulta muy fácil cuando tienes una receta para cuatro y debes cocinar para ocho personas. Sólo debes utilizar el doble de ingredientes. O bien, si quieres reducir la receta para dos personas sólo debes utilizar la mitad de ingredientes. ¿Fácil verdad?

Pues no tanto, a veces es un poco más complejo. ¿Cómo harías si tienes una receta para cuatro personas pero necesitas hacerla para siete? ¿O si tienes una receta para ocho y necesitas reducirla para una sola?

Muy simple, no importa si quieres aumentar o reducir la receta, el procedimiento para ajustar la receta es el mismo y lo llamamos "convertir la receta". ¿Cómo se hace?

Lo primero que debes hacer es calcular el "factor de conversión" (no te asustes, es sólo un número y por sí solo te permitirá convertir todas las cantidades fácilmente). En otras palabras, si obtienes este número lo demás es un juego de niños.

Para obtener el "factor de conversión" todo lo que debes hacer es: dividir la cantidad de comensales que deseas por la cantidad de comensales de la receta.

Ejemplo

Digamos que tienes una receta para 4 personas pero deseas cocinar para 11. En este caso debes:

1) Dividir: 11/4= **2.75 factor de conversión**

dividido $\dfrac{\text{Cantidad de Personas que Necesitas}}{\text{Cantidad de Personas de la Receta}}$ **=** **FACTOR DE CONVERSIÓN**

2) Ahora sólo tienes que multiplicar los ingredientes de la receta por 2.75 (tu factor de conversión).

De este modo, si la receta dice 3 tazas de harina, multiplícalo por el factor de conversión: 2.75 x 3 tazas de harina= 8 1/4 tazas de harina (esta es la cantidad de harina que necesitas para 11 personas)

Tabla de sustitución de alimentos

Si te quedaste sin un ingrediente y necesitas reemplazarlo de emergencia, utiliza esta tabla. En ella hay una lista de ingredientes comunes que pueden ser reemplazados con otros alimentos.

Ingrediente	Cantidad	Sustituto
Ajo	1 diente	1 cda. de sal de ajo o 1/8 cda. de ajo en polvo o 1/4 cda. de ajo seco molido
Arrurruz	1 1/2 cdita.	1 cda. de harina o 1 1/2 cdita. de maicena
Azúcar	1 taza	1 taza miel o 1 taza de jarabe de maíz o 1 taza de melaza o 1 taza de zahína (Reducir líquido de la receta en 1/4 taza)
Azúcar en polvo	1 taza	Mezclar en el procesador 1 taza de azúcar granulada + 1 cda. de maicena hasta convertir en polvo
Azúcar morena	1 taza	1 taza de azúcar granulada + 2 cdas de melaza o jarabe de maíz oscuro.
Cacao en polvo	3 cdas	1 oz. chocolate sin azúcar+ 1/8 cda. bicarbonato
Caldo	1 taza	1 1/2 cdita. de caldo en polvo disuelto en 1 taza de agua hirviendo
Cebolla	1	2 cdas de cebolla molida o 1 cdita. de cebolla en polvo
Cebolleta/ cebolla de verdeo (Chives)	1 taza	1 cda. de cebolleta deshidratada o 2 cdas de puerro/cebolla verde picados
Chocolate	1 oz	3 cdas de cacao + 1 cda. de mantequilla o 3 cdas. de polvo de algarroba + 1 cda. de mantequilla
Crema	1 taza	3/4 taza leche + 1/3 taza mantequilla o margarina
Crema agria (Sour cream)	1 taza	1 taza de yogurt natural o 3/4 taza de leche + 3/4 cda. de jugo de limón

		+ 1/3 taza de manteca
Crema tártara	1/2 cdita.	1 1/2 cdita. de vinagre o jugo de lima
Especia de Pie de Manzana	1 cdita.	1/2 cdita. Canela + 1/4 cdita. de nuez moscada + 1/8 cdta de cardamomo
Gelatina saborizada	3 oz	1 cda. de gelatina sin sabor + 2 tazas de jugo de frutas
Harina de repostería	1 taza	1 taza de harina regular menos 2 cdas.
Harina leudante	1 taza	1 taza de harina regular + 1 cdita. de polvo de hornear + 1/2 cdita. de sal
Harina para todo uso	1 taza	1 taza de harina para repostería más 2 cdas.
Hojas de laurel (bay leaves)	1	1/4 cdita. de hojas de laurel molidas
Huevos	1	2 yemas + 1 cda. de agua o 1 cda. de huevo en polvo + 2 cdas de agua
Jarabe de maíz	1 taza	1 taza de jarabe de arroz o cocinar 1 taza de azúcar granulada + 1/4 taza de agua cocinar hasta que tome punto.
Jengibre	1 cda.	1 cda. de jengibre confitado remojado en agua (para quitar el azúcar) o 1/2 cdita. de jengibre en polvo
Jugo de limón	1 cdita.	1/2 cdita. de vinagre
Jugo de tomate	1 taza	1/2 taza de salsa de tomate + 1/2 taza de agua
Kétchup	1 taza	1 taza salsa de tomate + 1/4 taza de azúcar morena + 2 cdas de vinagre
Leche condensada	1 lata	Cocinar 3/4 taza leche en polvo + 1 taza azúcar + 3 cdas de mantequilla
Leche entera	1 taza	1/2 taza de leche evaporada + 1/2 taza de agua o 4 cdas de leche en polvo + 1 taza de agua
Limón rallado	1 cdita.	1/2 cdita. de extracto de limón

Maicena (como espesante)	1 cda.	2 cdas de harina o 1 cda. de polvo de arruruz.
Manteca	1 taza	1 taza de margarina o 1 taza de aceite
Mayonesa	1 taza	1 taza de crema agria o 1 taza de yogurt
Miel	1 taza	1 1/4 taza de azúcar + 1/4 taza de agua
Pan rallado	1 taza	3/4 taza de galletas molidas
Perejil (deshidratado)	1 cdita.	3 cda.s de perejil fresco molido
Pimienta inglesa (allspice)	1 cdita.	1/2 cdita. de canela + 1/2 cdita. de clavos de olor molidos
Pimientos rojos (deshidratados)	1 cda.	3 cda.s de pimientos rojos molidos
Pimientos verdes (deshidratados)	1 cda.	3 cda.s de pimientos verdes molidos
Polvo de hornear	1 cda.	1/4 cda. De bicarbonato de sodio + 1/2 cda. de crema tártara
Sal de ajo	1 cda.	1/8 cda. de ajo en polvo + 7/8 cda. de sal
Salsa de Chili	1 taza	1 taza salsa de tomate + 1/4 taza de azúcar morena + 2 cdas vinagre, 1/4 cdita. de canela + 1 pizca de clavo de olor en polvo + 1 pizca de pimienta
Salsa de tomate	1 taza	1/2 taza de pasta de tomate + 1/2 taza de agua
Sazonador italiano	1 cda.	1/2 cda. de albahaca + 1/4 cda. de orégano + 1/4 cda. Tomillo
Suero de leche (Buttermilk)	1 taza	1 taza de yogur o 1 taza de leche + 1 3/4 cdita. crema tártara o 1 taza de leche + 1 cda. de jugo de limón
Tapioca	2 cdas	3 cdas de harina

Vino blanco	1 taza	1 taza de jugo de uva blanca, jugo de manzana, caldo de pollo o agua
Vino rojo	1 taza	1 taza de cidra de manzana, caldo de carne o agua
Yogurt	1 taza	1 taza de leche cortada o crema agria

Cómo remediar problemas comunes
en la cocina

Si has agregado demasiada sal a alguna receta…
….añadir una cucharada de vinagre blanco destilado y azúcar
para corregir el sabor.

Si el guiso te ha salido demasiado salado…
…agregar algunos trozos de patata en cubitos y seguir
cocinando. La patata absorberá la sal. Se puede quitar estos
trozos de patatas.

Si has salado la carne por demás…
…agrega una salsa de mantequilla inmediatamente para absorber
la sal, porque la mayoría está en la periferia.

Si salas el pescado por demás…
…servir con puré de papas sin sal porque el pescado tiene una
estructura más porosa que la carne. O hervir algunas hierbas con
el pescado para que absorba la sal.

Si salas las verduras por demás…
… solo puedes agregar la misma cantidad de verduras sin sal y
luego juntar y hacer puré.

Si salas por demás los champiñones…
… agregar un poco de agua con jugo de limón.

Si has salado la sopa por demás…
…sólo hace falta agregar alguna pasta, arroz o papas.

Si la salsa, sopa o guiso tiene demasiado sabor a ajo…

… coloca unas hojas de perejil y dejarlo unos minutos en la comida. El perejil absorbe el sabor a ajo. Luego retirar.

Si la mayonesa se ha cortado…

… batir una yema en otro bol. A esta agrega lentamente la mayonesa cortada, batiendo todo el tiempo.

Si el guiso, la sopa o la salsa te ha salido demasiado grasoso…

… echar un cubito de hielo. El hielo atrae la grasa y entonces podrás sacar el exceso con más facilidad. Otro método sería agregar una pizca de bicarbonato de soda.

Si se derrama alguna comida cuando cocinas en el horno,…

…echar sal encima. No habrá olor feo y será mucho más sencillo limpiar cuando se enfríe el horno.

Para quitar el sabor a quemado del arroz…

… colocar un trozo de pan blanco arriba del arroz durante 5 a 10 minutos.

Para evitar el olor al cocinar la coliflor…

…añadir al agua un chorrito de vinagre o una cucharada de harina disuelta en un poco de agua fría.

Para eliminar el olor ahumado…

Si se quema lo que estás cocinando y el olor a humo ha penetrado la cocina, colocar la olla sobre sal y el olor desaparece.

Si sueles confundir la sal con el azúcar…

…para evitar una sorpresa desagradable, es aconsejable guardar cada alimento en un recipiente de color diferente.

RECETAS

ANTOJITOS

Frijoles Negros Refritos

Los frijoles negros refritos es un plato muy importante en la cocina de todo México porque se emplea con muchísima frecuencia. Los frijoles constituyen la base para muchísimas recetas ya que hay innumerables maneras de presentarlos.

Ingredientes: para 6 personas

- 2 tazas de frijoles negros
- 100 g manteca de cerdo
- 2 cebollas
- 1 ramita de menta fresca (opcional)
- 1 ramita de tomillo fresco (opcional
- 1 ramita de perejil fresco (opcional)
- 3 dientes de ajo
- Sal

- 250 g queso Cheddar rallado (opcional)
- 3 tortillas

Preparación:

Lavar los frijoles muy bien y remojarlos en agua fría durante ocho horas.

Cocerlos a fuego lento en una cazuela de barro con agua y una cebolla, las ramitas de menta, tomillo y perejil. Agregar agua caliente, si fuese necesario durante la cocción. Hervir con la cazuela tapada durante 2 horas o hasta que los frijoles estén tiernos.

Cuando empiecen a arrugarse, añadir una cucharada de manteca,

Salar cuando los frijoles ya estén casi cocidos.

Dejar hervir media hora más para que se sazonen.

Desechar las hierbas.

Colar y aplastar los frijoles con una cuchara de madera o triturar en la procesadora de cocina si prefieres una textura más suave.

Calentar la manteca de cerdo en una sartén grande y profunda. Picar la otra cebolla y saltear hasta que quede muy tierna. Sazonar con sal y comino.

Añadir 1/4 de litro del caldo de cocción y los frijoles y freír hasta que se espesen y se pueda formar un rollito. Remover constantemente.

Si utilizas el queso, esparcir sobre los frijoles refritos y tapar la sartén hasta que se derrita. También se puede fundir el queso bajo el gratinador del horno a temperatura media.

Servir enseguida con triángulos de tortilla fritos y dorados en manteca llamados totopos.

Calabacitas con Queso

Esta receta tradicional de calabacitas con queso de la península de Yucatán es saludable y fácil de preparar. Es ideal cuando no tienes mucho tiempo y muy nutritivo para los niños.

Ingredientes: para 8 personas

- 2 kilos de calabacitas
- 500 g queso regional
- 2 tomates
- 1 cebolla
- 1 chile verde
- Sal y pimienta al gusto

Preparación:

Cortar las calabacitas en trozos de tamaño regular. Cocinar a vapor durante veinte minutos.

Picar y freír la cebolla, el chile y los tomates Agregar las calabacitas, el queso desmenuzado, la sal y pimienta.

Tapar el recipiente y dejar sazonar cinco minutos.

ARROZ Y PASTA

Pizza a la Mexicana

Una pizza al estilo mexicano con frijoles, chiles y pollo.

Ingredientes: rinde 8 porciones

- 1/3 taza de harina de maíz
- 1 1/4 a 1 1/2 tazas de harina
- 8 g de levadura seca activa
- 1 cucharadita de sal
- 1/8 cucharadita de azúcar
- 1/4 taza de agua
- 1/4 taza de leche sin grasa
- 2 cucharadas de aceite de oliva

Para la cobertura:

- 1 taza de salsa
- 3/4 taza de frijoles negros
- 2 tazas de pechuga de pollo cocida cortada en cubitos
- 1 cebolla pequeña, cortada en rodajas finas

- 110 g de chiles verdes picados
- 2 tazas o 220 g de queso mexicano bajo en grasa
- 1 tomate mediano, sin semillas y picado
- 1 chile jalapeño, sin semillas y picado
- 1 cucharada de cilantro fresco picado

Preparación:

En un bol mezclar 1/2 taza de harina, la harina de maíz, la levadura, la sal y el azúcar.

En una cacerola, calentar el agua, la leche y aceite a 120 ° -130 °.

Añadir a los ingredientes secos y batir hasta que quede suave.

Batir con suficiente harina restante para formar una masa suave.

Dar vuelta la masa sobre una superficie enharinada y amasar aproximadamente 6-8 minutos hasta suave y elástica.

Cubrir y dejar leudar en un lugar cálido hasta que aumenta el doble de tamaño, alrededor de 1 hora.

Luego, en una superficie enharinada, golpear la masa y estirarla hasta formar un círculo.

Pasar a un molde para pizza engrasado. Levantar los bordes ligeramente.

Pinchar la masa en varios lugares con un tenedor.

Hornear a 400 ° durante 8-10 minutos o hasta que esté ligeramente dorada.

Extender la salsa sobre la masa.

Cubrir con los frijoles, el pollo, la cebolla, los chiles, queso, tomate, jalapeño y cilantro.

Hornear 12 a 15 minutos más o hasta que la masa esté dorada y el queso se haya derretido.

Arroz al Cilantro y Lima

Proporciona un poco de sabor mexicano al arroz mediante la adición de ralladura de lima, jugo de lima y cilantro.

Ingredientes: para 4 personas

- 2 tazas de agua
- 1 cucharada de mantequilla
- 1 taza de arroz blanco grano largo
- 1 cucharadita de ralladura de lima
- 2 cucharadas de jugo de lima fresco
- 1/2 taza de cilantro picado

Preparación:

Llevar el agua a ebullición. Revolver la mantequilla y el arroz en el agua.

Tapar, reducir el fuego y cocinar a fuego lento hasta que el arroz esté tierno, aproximadamente 20 minutos.

Agregar la ralladura de lima, jugo de lima y el cilantro al arroz cocido justo antes de servir.

Pollo Fácil y Arroz a la Mexicana

Esta es una receta sabrosa, al estilo mexicano, que gusta a todos.

Ingredientes: para 4 porciones

- 450 g de pechugas de pollo deshuesadas y sin pellejo, cortadas en tiras de 1 cm
- 2 cucharadas de mantequilla
- 1 3/4 tazas de salsa
- 150 g de arroz
- 75 g de aceitunas negras en rodajas, escurridos
- 2 cucharadas de jugo de limón
- 1/2 taza de queso Cheddar rallado
- 1 taza (225 g) de crema agria
- 1 aguacate mediano, pelado y cortado en cubos
- 1 tomate mediano, picado

Preparación:

En una sartén grande dorar el pollo en la mantequilla.

Añadir la salsa, el arroz, las aceitunas y el jugo de limón.

Llevar a ebullición.

Reducir el fuego, cubrir y cocinar a fuego lento durante 8-10 minutos o hasta que el arroz esté tierno.

Espolvorear con el queso.

Servir con crema agria, aguacate y tomate.

TIP: Cuando uses hierbas frescas como el cilantro o el perejil, utilizar los tallos enteros en ensaladas y sándwiches, y para las salsas y guacamole, cortar los tallos y las hojas.

Pasta al horno a la Mexicana

Un delicioso cambio de las cazuelas de pasta comunes. Los fideos tirabuzón hacen que sea más novedoso.

Ingredientes: para 6 personas

- 450 g de carne molida
- 1 sobre de condimento para tacos (ver receta a continuación)
- 425 g de salsa de tomate
- 1/4 taza de pimiento verde picado
- 1 cucharadita de ajo en polvo
- 1 cucharadita de orégano seco
- 225 g sin cocer pasta espiral, hervidos y escurridos
- 1 taza (115 g) de queso Cheddar rallado
- ½ taza crema agria

Preparación:

En una sartén grande, cocinar la carne a fuego medio hasta que pierda el color rosado. Escurrir.

Agregar el condimento para tacos, la salsa de tomate, el pimiento verde y las especias. Llevar a ebullición y luego retirar del fuego.

Mientras tanto, mezclar la pasta, 1/2 taza de queso y la crema agria. Colocar en un molde para hornear engrasado. Cubrir con la mezcla de carne y el queso restante.

Hornear, sin tapar, a 350 ° durante 30 minutos o hasta que esté cocinado.

Condimentos para Tacos:

Si no consigues un sobre de condimentos ya preparados para tacos es muy fácil hacerlo tú mismo. Además te puede servir para otros platos y darles un sabor especial.

Ingredientes:

- 2 cucharaditas de cebolla en polvo
- 1 cucharada de chili en polvo
- 1 cucharadita de ajo en polvo
- 1 cucharadita de comino en polvo
- 1 cucharadita de orégano
- 1 cucharadita de pimentón o paprika
- 1 cucharadita de azúcar
- 1/2 cucharadita de sal

Preparación:

Si la receta ya lleva ajo y orégano, puedes omitirlo en esta receta.

Mezclar bien todos los ingredientes en un bol pequeño.

Puedes multiplicar las cantidades de esta receta para usar en otra oportunidad y conservarlo.

Guardar la preparación en un frasco de vidrio con tapa o un especiero. Agitar el frasco antes de usar.

BEBIDAS

Café Dulce con Canela

Esta es una bebida que da energía así que es ideal para empezar el día. Algunos lo llaman "café funeral", ya que se sirve siempre en los velorios, para estar despiertos durante toda la noche, y con grandes bandejas de pan dulce.

Ingredientes: para 6 personas

- 6 tazas de agua
- 3 cucharaditas colmadas de café molido mediano (no instantáneo)
- 1 rama de canela
- 4 cucharadas de azúcar morena o piloncillo, o al gusto

Preparación:

Llevar el agua a ebullición.

Añadir el café, la canela y el azúcar, y continuar hirviendo durante 30 segundos. Remover con cuchara y colar en tazas.

Sangría Mexicana

Esta bebida fresca y fragante está repleta de los sabores tropicales de México. Refresca y reanima a cada sorbo.

Ingredientes: para 4-6 personas:

- 1 botella de vino tinto seco con cuerpo
- 50 ml de licor de naranja
- 50 ml de brandy
- 225 ml de zumo de naranja
- Azúcar al gusto
- 1 naranja lavada
- 1 lima lavada
- 1 melocotón
- ½ pepino en rodajas finas
- Cubitos de hielo
- Agua mineral con gas, para dar más cuerpo

Preparación:

Verter el vino en una ponchera y mezclar con el licor, el brandy, el zumo de la naranja y azúcar a su gusto.

Tapar la ponchera y dejar enfriar en el refrigerador 2 horas como mínimo.

Justo antes de servir la bebida, cortar la naranja y el limón en rodajas a lo ancho.

Partir el melocotón por la mitad. Separar el hueso y cortar la pulpa en rodajas.

Sacar la ponchera de la nevera e incorporar la fruta, el pepino y los cubitos de hielo.

TIP: Añadir agua con gas para darle más cuerpo. Para realzar el sabor de la comida, echa mano de vinagres saborizados y no uses tanta sal. Lo ácido realza el sabor. Guarda los vinagres cerca de la cocina para tenerlos siempre a mano.

Ponche Mexicano

Este ponche mexicano es bien sabroso. Servir con la fruta flotando en el vaso o sin – queda rico lo mismo.

Ingredientes: para 20 porciones

- El jugo de3 naranjas
- El jugo de 3 limones
- 225 g de uvas verdes sin semilla cortadas por la mitad,
- 225 g ciruelas, sin semillas y cortado en pequeños trozos
- 1 piña fresca, pelada, sin corazón y cortada en pequeños trozos
- 1 taza de azúcar
- 4 tazas de té negro fuerte, frío
- 4 tazas de hielo picado

Preparación:

En una ponchera grande, mezclar el jugo de naranja, jugo de limón, uvas, ciruelas y piña.

Incorporar el azúcar. Verter el té y hielo picado.

CARNES Y GUISOS

Picadillo

El nombre no se aplica a una receta específica, sino a un tipo de guiso preparado con cualquier carne picada tanto en crudo como cocida y guisada, con jamón, verduras y ajo, entre otros productos.

Se suele aderezar el picadillo con especias, sal y vinagre y se puede servir solo o como relleno de aves y pescados. Esta es una versión más elaborada.

Ingredientes: para 6 personas

- 1 kilo de carne picada magra
- ¾ kilo de tomates
- 1 cebolla grande picada muy fina
- 1 papa (patata) grande, pelada y cortada en daditos
- 1 banana (plátano), bien picada
- 3 dientes de ajo
- 90 g de pasas de uvas
- ¼ cucharadita de canela en polvo
- ¼ cucharadita de mejorana seca
- 2 clavos de olor
- 10 g de pimienta negra

- 1 rama de canela
- 2 hojas de laurel
- Aceite de oliva
- Sal

Preparación:

Preparar un adobo machacando en un mortero la mejorana, la canela, el clavo, el tomillo, los dientes de ajo y la pimienta.

Mezclar estos ingredientes junto con la carne en una fuente profunda.

Saltear la carne, en pequeñas cantidades, en una sartén grande, hasta que se dore.

Pasar a una fuente y reservar.

Rehogar la cebolla en el mismo aceite.

Dejar al fuego por dos minutos y luego incorporar los tomates, asados y picados. Hervir unos 4 minutos más.

Pasar la carne otra vez a la sartén. Mezclar y aderezar con sal, la ramita de canela, las hojas de laurel la banana y la papa.

Tapar y cocinar a fuego lento hasta que la papa esté tierna.

Agregar las pasas, salar y dar un último hervor antes de servir.

Cerdo en Chile Guajillo

Una receta de lo más sabrosa al estilo mexicano con chiles picantes.

Ingredientes: para 8 personas

- 1 kilo 800 g de hombro o trasero de cerdo deshuesado, cortado en cubos de 5 cms
- 2 cucharadas de sal fina
- 1 hoja de laurel
- 10 chiles guajillos
- 2 cucharadas de aceite de oliva
- 1 cebolla grande, pelada y cortada por la mitad a través del centro
- 3 tomates grandes frescos, cortados a la mitad a lo largo del esqueleto
- ¼ taza aceite de canola o mantequilla
- 2 cucharadas de harina

Preparación:

Poner el cerdo en una olla o cacerola pesada de acero o hierro con tapa hermética bien pesada y grande para que el cerdo quepa bien. Echar suficiente agua fría para cubrir la carne, unos 5 cms.

Agregar 2 cucharadas de sal, la hoja de laurel y dejar hervir.

Mientras hierve, remover la espuma de la superficie tantas veces sea necesario. Hervir por una hora.

Mientras tanto, cortar o arrancar los tallos de los chiles guajillo. Quitar las semillas también –puedes hacerlo golpeando las chiles sobre una superficie, y las semillas saldrán solas.

Calentar el aceite en un sartén mediano sobre fuego mediano. Agregar la mitad de los chiles y tostar, volteando con pinzas o tenazas hasta que cambien de color y se tuesten un poquito, unos 4 minutos. (Tostar los chiles les aumenta el sabor y dorar las cebollas y tomates hasta ennegrecer les saca su dulzura natural. Un poquito de trabajo extra al principio, da resultados excelentes al final).

Calentarlos con cuidado para que no se quemen. Luego sacar y colocar en un bol o fuente profunda.

Repetir lo mismo con el resto.

Cubrir los chiles ya tostados con agua hirviendo. Mantener sumergidos hasta que se ablanden completamente, unos 20 minutos. Escurrir.

Mientras los chiles estén en remojo, limpiar la sartén con una toalla de papel.

Poner las cebollas y tomates de manera que el lado cortado esté sobre la superficie del sartén y cocinar, volteando los vegetales cuantas veces sea necesario, hasta que los tomates se oscurezcan por todos los lados, y las cebollas, por ambos lados.

Después que el cerdo se haya cocinado por una hora, sacar 2 tazas del líquido que está cocinando, y colocar en una licuadora. Agregar las cebollas y hacer un puré hasta que tenga una consistencia suave. Agregar los chiles y tomates y licuar hasta que quede suave.

Tomar 2 tazas más del líquido y guardar. Escurrir el cerdo, guardar el líquido y limpiar la olla de nuevo.

Poner la olla al fuego, medio-bajo, y agregar el aceite o la mantequilla. Agregar la harina y cocinar removiendo por unos 3 a 4 minutos.

Echar la salsa de chile en la olla, lentamente. Al hervir se espesará. Moverlo bien, especialmente en las orillas o bordes, para que la salsa no se pegue ni se queme al espesar.

Continuar cocinando el cerdo, hirviendo a fuego lento. Cubrir la olla y cocinar hasta ablandar, aproximadamente 1 hora.

Mientras el cerdo se cocina, se debe asegurar que tenga la cantidad de salsa suficiente para mantenerlo jugoso. Si no, agregar el líquido que se guardó anteriormente, según la necesidad.

Servir caliente.

TIP:

Para evitar la irritación en la piel al utilizar los chiles utilice guantes de goma o aún pequeñas bolsas de plástico sobre las manos. No se debe tocar el rostro ni frotar los ojos mientras uno esté manoseando los chiles.

Al terminar de trabajar con los chiles, lavar las manos y los utensilios con agua caliente y jabonosa. Si sientes que tu boca se quema, prueba una cucharada de azúcar o el jugo de lima con un poco de sal. La sensación de fuego en la boca dura seis minutos antes de menguar.

Pan de Carne a la Mexicana

Una pizca de chile en polvo da al pastel de carne el sabor mexicano característico que se complementa con la salsa picante vertido sobre la parte superior.

Ingredientes: para 6 porciones

- 3/4 taza de leche
- 2 huevos, ligeramente batidos
- 1/2 taza de pan rallado
- 1/4 taza de cebolla finamente picada
- 1/2 cucharadita de sal
- 1/2 cucharadita de pimienta
- 1/2 cucharadita de chile en polvo
- 700 g de carne molida sin grasa
- 450 g de salsa picante (ver receta a continuación)

Preparación:

En un bol grande, mezclar los primeros siete ingredientes.

Agregar la carne y mezclar bien.

Colocar en un molde para pan engrasado de aproximadamente 18 x 9 cms. y aplastar ligeramente.

Hornear sin tapar, a 350 ° durante 1 hora.

Cubrir con la salsa picante caliente.

Salsa Picante

Primero elige el chile a usar para determinar el grado de picante que deseas.

Los chiles jalapeños es son ideales para hacer salsas ligeras. Tienen un sabor fuerte pero no tan picante como otros chiles.

Los chiles serranos son muy parecidos a los jalapeños, pero pican bastante más.

El chile habanero es pequeño pero es uno de los chiles más picantes que existen y debes utilizarlo cuando estás determinado a gustar de lo más picante. Es mejor comenzar con algo poco picante que con algo demasiado fuerte.

Luego selecciona la cantidad adecuada de chiles de acuerdo a tu gusto. Una salsa ligera requiere de unos 225 gr de chiles, mientras que una muy picante requiere de unos 900 gr.

Ingredientes:
- 250 a 900 gr de chiles
- 1 diente de ajo
- ½ cebolla grande
- 450 g de salsa de tomate
- 1 cucharada de vinagre
- 1 cucharadita de chile rojo triturado
- 2 cucharaditas de sal

Preparación:

Picar finamente el diente de ajo y la cebolla.

Sacar las semillas a los chiles de la siguiente manera:

No te toques los ojos o cualquier parte sensible de la piel después de haber manipulado los chiles ya que te causarán una gran irritación.

Lávate perfectamente las manos con mucho jabón.

Si tienes cortes o algún problema de piel deberás utilizar guantes. La irritación en la piel no se te quitará pronto aunque la laves muy bien.

Si vas a utilizar muchos chiles, definitivamente utiliza guantes aunque tu piel esté intacta, ya que cuando menos te des cuenta te arderán las manos y esa sensación te quedará por algunas horas.

Poner el ajo, la cebolla, los chiles y la salsa de tomate en una procesadora de alimentos y mezclar hasta formar una crema.

Colocar esta mezcla en una sartén. Agregar la sal y el chile rojo. Cocinar a fuego medio hasta que hierva.

Agregar el vinagre.

Guardar esta salsa en un recipiente de vidrio.

TIP: Para calentar las tortillas: Colocar las tortillas frescas de maíz o de harina en una toalla o repasador limpio y cerrar las puntas. Poner en el microondas durante un minuto por una docena de tortillas o menos tiempo por menos cantidad.

ENSALADAS

Una Ensalada con Sabor a México

Una ensalada crujiente y colorida con sabor a México y lista en 20 minutos.

Ingredientes: para 6 porciones

- 1 pomelo rojo
- 1 taza jícama, pelado y picado
- 1 taza de pimiento naranja picado
- 1 taza de pepino picado
- 1 tomate, picado
- 2 cebollas verdes, picadas
- 1/4 taza de cilantro fresco picado

Preparación:

Con un cuchillo muy afilado, cortar un trozo de la parte inferior y superior del pomelo, haciendo un corte en la fruta.

Colocar el pomelo hacia arriba en una superficie de trabajo, y rebanar la cáscara y la parte blanca en rodajas verticales, exponiendo los segmentos de fruta. Cortar un poco en la parte de la fruta.

Utilizar el cuchillo para cortar suavemente entre las membranas expuestas blancas, y aflojar los gajos de pomelo en un bol. Sacar las semillas.

Colocar los gajos del pomelo, y demás ingredientes en un bol. Revolver suavemente para mezclar.

TIP: Al hacer una vinagreta, primero diluir la sal en el vinagre antes de agregar el aceite.

Ensalada de Jícama

Una deliciosa ensalada nutritiva, y ¡lista en 15 minutos!

Ingredientes: para 6 personas

- 1 jícama grande, aproximadamente 500 g pelada
- 2 grandes remolachas, peladas y recortadas
- 2 zanahorias grandes, peladas y cortadas en rebanadas finas de 5 cms de largo
- 2 grandes naranjas
- 3 a 4 cucharadas de jugo de lima recién exprimido (2 a 3 limas)
- 2 a 3 cucharadas de aceite de oliva
- Sal y pimienta negra recién molida
- 1/4 taza de maní sin sal, tostadas y picadas

Preparación:

Usando un cuchillo muy afilado, cortar la jícama, las remolachas y zanahorias en juliana y mezclar en un bol grande.

Cortar los extremos de las naranjas. Usando un cuchillo de pelar, quitar la cáscara y la médula de las naranjas, siguiendo la curva de la fruta. Cortar en rebanada a cada lado de las membranas para eliminar los segmentos.

Transferir los gajos de naranja al bol con las verduras.

Exprimir el jugo de las membranas en un recipiente, 1/4 taza aproximadamente.

Agregar el jugo de las limas al jugo de naranja. Batir.

Agregar de a poco el aceite para hacer una vinagreta suave. Si la vinagreta ha quedado muy fuerte se puede agregar un poco de miel o azúcar.

Verter la vinagreta sobre la mezcla de verduras. Revolver para que quede cubierto de la vinagreta. Cubrir. Sazonar.

Transferir la ensalada de jícama a una fuente y espolvorear con el maní.

Ensalada de Camarones

Una ensalada llena de sabor y nutrientes.

Ingredientes: para 4 personas

- 2 1/2 limones, su ralladura, más 4 rodajas de limón para servir
- 1/4 taza de jugo de naranja natural
- 4 tiras (4 cms de largo) cáscara de naranja
- 8 bayas de pimienta (o 1/4 de cucharadita de pimienta molida)
- 1/2 cucharadita de sal gruesa
- 1/340 g camarón mediano, en sus conchas
- 2 cucharaditas de pasta de tomate
- 1/8 cucharadita de pimienta de cayena, y más si se desea
- 1/2 cebolla roja mediana, finamente picada
- 1 tomate mediano, picado en trozos grandes
- 8 hojas de lechuga para servir
- 1 aguacate (palta) firme y maduro, cortado por la mitad, sin semilla, pelado y en rodajas de ½ cm de espesor
- 4 cucharadita de pimienta molida fresca

Preparación:

Colocar el jugo de 1 limón en una cacerola grande y agregar la cáscara, 1 litro de agua, 3 cucharadas de jugo de naranja y la cáscara, 1/4 cucharadita de sal y la pimienta. Llevar a ebullición.

Reducir el fuego a medio y cocinar a fuego lento durante 10 minutos.

Preparar un baño de agua helada.

Agregar los camarones al agua a fuego lento y cocinar hasta que estén rosados y opacos, unos 3 minutos.

Trasladar al baño de agua helada con una espumadera.

Dejar enfriar un poco los camarones, unos 5 minutos, después pelar y desvenar.

Cortar en trozos pequeños.

Exprimir los limones restantes y en un bol mediano batir con 1 cucharada de jugo de naranja, 1/4 cucharadita de sal, la ralladura de limón, la pasta de tomate y la pimienta de cayena.

Agregar los camarones, cebolla y tomate.

Refrigerar, revolviendo de vez en cuando, por lo menos 30 minutos.

Dividir la lechuga en 4 platos.

Colocar arriba los camarones y aguacate, y servir con rodajas de limón.

HUEVOS

Migas

En México esta receta es popular como desayuno aunque, por ser tan fácil, tan rápido y muy económico de hacer, puede ser un favorito en cualquier momento. También se puede agregar chiles o cualquier ingrediente que sueles agregar a un omelette o tortilla francesa de huevo.

Ingredientes: para 5 porciones

- 6 huevos batidos
- 4 cucharaditas de aceite de maíz
- 12 tortillas de maíz
- Sal al gusto

Preparación:

Calentar el aceite en una sartén grande a fuego medio alto. Romper las tortillas de maíz en trozos pequeños y freír en la sartén, revolviendo constantemente, hasta que apenas comienzan a ponerse crujiente. Verter los huevos en la sartén con las tortillas, revolviendo hasta que los huevos estén cocidos.

Sazonar con sal al gusto. Servir inmediatamente.

Huevos Motuleños

Este es un plato de desayuno estilo Yucatán – una tortilla cubierta con guisantes, jamón y queso Gouda o Edam. Tiene una salsa picante habanero y salsa de tomate.

Ingredientes: para 4 personas

- 1 taza de frijoles negros cocidos
- 2 chiles habaneros, sin tallo y sin semillas
- 2 ramitas de epazote o cilantro
- ¼ taza de agua
- 1 cebolla blanca mediana, cortada en rodajas gruesas
- 3 cucharadas aceite de mantequilla de cerdo o aceite canola
- 450 g de tomates, sin semillas
- Sal al gusto
- 5 cucharadas aceite de canola, y más para freír
- 8 tortillas de maíz

- 1 plátano (banana) maduro grande, pelado y cortado en rebanadas de ½ cm
- 4 huevos
- 55 g jamón rebanado, cortado en tiras de 1 cm
- 55 g tiras de queso Gouda o Edam en lonchas, cortado en 1 cm
- ½ taza de arvejas (guisantes) en conserva
- ¼ taza de queso Cotija o Parmesano
- ¼ taza de agua

Preparación:

Licuar los frijoles y hacer un puré, junto con 1 chile, el epazote, la ¼ parte de la cebolla y ¼ taza de agua hasta que esté muy suave, por lo menos 2 minutos.

Calentar la mantequilla de cerdo en una sartén de unos 22 cms a fuego medio-alto.

Agregar el puré de frijoles y cocinar, revolviendo constantemente, hasta que espese y se forma una pasta suelta, unos 4 minutos. Pasar a un bol y dejar los frijoles a un lado.

Limpiar la sartén, y volver a calentar. Añadir el chile restante, el resto de la cebolla y tomates, y cocinar, revolviendo como sea necesario, hasta que esté tostada por todos lados, unos 14 minutos para el chile y los tomates, unos 12 minutos para las cebollas.

Trasladar a la licuadora junto con la sal y hacer puré hasta que esté muy suave, por lo menos 2 minutos.

Volver a calentar la sartén junto con 3 cucharadas aceite. Cuando esté caliente, verter la salsa en la sartén y cocinar, revolviendo constantemente, hasta que esté ligeramente reducido y espesado, aproximadamente 10 minutos. Pasar a un recipiente y mantener caliente.

Verter el aceite a una profundidad de unos 4 o 5 cms en una olla y calentar a fuego medio-alto.

Freír las tortillas, y dar vuelta una vez, hasta que estén crujientes y dorado, unos 3 minutos.

Colocar sobre unas toallas de papel y dejar a un lado.

Añadir las rebanadas de plátano o banana y freír hasta que estén tiernas y caramelizadas, aproximadamente 2 minutos.

Limpiar la sartén, y volver a fuego medio con 2 cucharadas de aceite. Agregar los huevos a la sartén y cocinar a punto de cocción deseado, aproximadamente 4 minutos.

Esparcir unas 3 cucharadas de frijoles negros sobre 4 tortillas en los platos de servir y, a continuación, colocar un huevo en la parte superior.

Cubrir los huevos con una tortilla, y verter la salsa sobre las tortillas.

Luego colocar sobre las tortillas el jamón y rodajas de Gouda o Edam en la parte superior.

Agregar arriba de todo los guisantes y espolvorear con el queso Cotija.

Colocar el plátano frito o rebanadas de plátano alrededor de las tortillas y servir.

TIP: Para una variación en la receta de Migas, puedes agregar a las migas, carne picada frita de ternera o cerdo.

Otra variación: puedes agregar un manojo de acelga o espinacas, hervidas y troceadas. Le dará un toque de frescura y color

NAVIDAD Y CELEBRACIONES

Ensalada Tradicional de Navidad

Una receta tradicional muy popular en México para las fiestas navideñas y Año Nuevo. Es muy fácil y lleva poco tiempo.

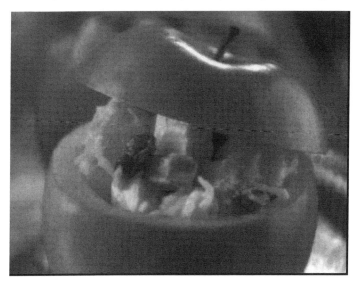

Ingredientes: para 6 personas

- 6 manzanas verdes
- 2 tazas de piña (ananá) cortados en cubitos
- 1/2 taza de apio cortado en cubitos
- 1/3 taza de pasas
- 1/3 taza de coco rallado endulzado
- 1/2 taza de nueces picadas
- 1/4 taza mayonesa
- 1 cucharada de crema agria
- Sal y pimienta negra recién molida

Preparación:

Cortar la cuarta parte superior de cada manzana y reservar.

Sacar la pulpa de las manzanas para dejar una cavidad hueca (que será rellenado con la ensalada).

Picar la pulpa de las manzanas y mezclar con los demás ingredientes en un bol grande. Sazonar con sal y pimienta, al gusto.

Colocar aproximadamente 3 cucharadas de la mezcla en el hueco de cada manzana y colocar encima, las tapas reservadas sobre el relleno. (Cualquier relleno no utilizado se puede refrigerar hasta por 1 día).

Servir frío o a temperatura ambiente.

Pastelitos Mexicanos para Celebraciones

Prueba este pastelito o galleta sabrosa y delicada, especial para las bodas o cualquier fiesta. Se derrite en tu boca. Es fácil de hacer. Cuanto menos se maneja la masa, más delicado resulta el pastelito.

Ingredientes: para unos 30 pastelitos

- 3/4 taza de azúcar impalpable
- 1 taza de mantequilla, ablandada
- 2 cucharaditas de extracto de vainilla
- 1 cucharadita de canela en polvo
- 1 taza de almendras picadas
- 2 1/2 tazas de tamizado de harina

Preparación:

Batir el azúcar glas o impalpable y la mantequilla. Agregar la vainilla, la canela y las almendras.

Amasar la harina con la mano hasta que esté completamente mezclado.

Enfriar la masa durante una hora aproximadamente.

Precalentar el horno a 350° F (180° C).

Estirar la masa a unos 2 cms de espesor.

Cortar en trozos de 2 cms y rodar de forma rápida y suavemente en una bola.

Coloque a unos 5 cms de distancia en las bandejas para hornear.

Hornear durante unos 15 minutos.

Después de hornear espolvorear con el azúcar glas.

Guardar hermético en capas con papel encerado en el medio.

Pan de Muerto

Siguiendo viejas costumbres precolombinas, los mexicanos convierten el día de los difuntos en una fiesta que gira alrededor de la cocina. Este pan, decorado con huesos y calaveras coloreadas, forma parte de las ofrendas que se dejan en los cementerios.

Ingredientes: para 6 personas

- 500 g de harina de trigo
- 6 huevos
- 125 g de azúcar
- 125 g de mantequilla
- 60 ml de agua tibia
- 1 cucharadita de levadura natural seca
- 1 cucharadita de sal
- 2 cucharaditas de semillas de anís en polvo
- 1 cucharadita de nuez moscada molida
- 1 clara y ½ yema mezcladas
- Agua de azahar

Preparación:

Mezclar la levadura con 45 gramos de harina y 60 mililitros de agua tibia. Dejar reposar hasta que duplique su tamaño.

Echar la harina restante en un recipiente grande. Hacer un hueco en el centro y unir los huevos con la sal, el azúcar, el anís, la nuez moscada, la mantequilla derretida y el agua de azahar. Trabajar con las manos.

Añadir la levadura y amasar unos 15 minutos sobre una superficie enharinada.

Poner la masa en una fuente engrasada, cubrir con un paño y reservar durante 3 horas en un lugar seco.

Hacer una bola de unos 5 centímetros de diámetro y una tira larga y no muy ancha con un tercio de la masa. Cortar la tira en trozos pequeños en forma de huesos.

Trabajar el resto de la masa hasta darle forma de pan redondo.

Barnizar con parte de la mezcla de la clara y la media yema y situar la bola de masa en el centro del pan, distribuyendo los huesos a su alrededor. Barnizar de nuevo con el resto de la mezcla de huevo.

Hornear a 230º C durante 10 minutos, bajar a 180º C y cocinar otros 30 minutos.

Espolvorear con azúcar y dejar enfriar.

Servir a temperatura ambiente.

Pavo al Horno Relleno al Estilo de Chihuahua

Esta receta es del estado de Chihuahua, donde el pavo, la carne de venado y otros animales han sido el pilar tradicional de los pueblos nómadas que habitaron esta tierra. Esta receta es típica de las fiestas navideñas y el relleno lo hace aún más delicioso.

Ingredientes: para 12 a 16 personas

- Un pavo doble pechuga, aproximadamente de 7 u 8 kilos
- 2 1/2 tazas de mantequilla ablandada
- 1 1/2 cucharadas de sal
- 1 cucharada de pimienta de Jamaica
- 1 cebolla mediana, picada
- 350 g de carne molida sin grasa
- El hígado del pavo, finamente picado
- 4 papas grandes, peladas y cortadas en cubitos
- 3 tomates grandes, sin semillas y picado finamente
- 3 cucharadas de perejil picado
- 3/4 taza de almendras peladas y finamente picado
- 3/4 taza de nueces, finamente picado

- 3/4 taza de pasas doradas
- 3/4 taza de pimiento, aceitunas cosas, finamente picado
- 1 taza de vino blanco seco
- El jugo de 3 naranjas
- 3 tazas de caldo de pollo o pavo

Preparación:

Lavar el pavo y secar con toallas de papel.

Mezclar 2 tazas de la mantequilla ablandada con la sal y la pimienta de Jamaica y extender la mezcla de manera uniforme sobre el pavo, levantando la piel cuidadosamente para difundir la mitad de ella bajo la piel. Calentar el resto de la mantequilla (1/2 taza) en una cacerola grande.

Saltear la carne picada y el hígado de pavo hasta que la carne ya no esté rosada. Añadir las patatas, los tomates, el perejil, las almendras, las nueces, las pasas, las aceitunas y el vino.

Tapar y cocinar a fuego lento durante 1 hora o hasta que la mezcla se espese, revolviendo de vez en cuando para evitar que se pegue. Dejar que la mezcla se enfríe, y lo utiliza para rellenar el pavo.

Colocar el pavo relleno en una fuente para hornear, vierte el jugo de naranja y el caldo por encima y hornear en un horno precalentado 400 ° durante 30 minutos.

Cubrir la fuente con una tapa o con papel de aluminio, bajar el fuego a 375 ° y seguir asando durante otras 4-5 horas, rociando cada 45 minutos con el líquido en el recipiente.

Se calcula el tiempo de cocción, 45 minutos por cada kilo para un pavo relleno, asado. Al insertar un termómetro en el músculo del muslo interno debe registrar 180 ° -185 °.

Dejar reposar al pavo durante 1/2 hora antes de cortarlo.

El líquido en la fuente se puede espesar con harina o almidón de maíz si desea una salsa más gruesa.

Pierna de Cerdo Adobada

El jamón fresco es la pata de cerdo sin ahumar. En México, el término adobada se refiere a la carne untada con pasta de chile, luego asada a la parrilla, al horno o frita. Queda exquisito.

Ingredientes: para 15 a 20 personas
- 15 chiles anchos secos, sin tallo y sin semillas
- 2 cucharadas de vinagre de caña o vinagre de sidra de manzana
- 3 dientes de ajo, pelados y machacados
- 6 a 7 kilos jamón fresco sin piel, atado con hilo de cocina
- 8 cucharadas de margarina o mantequilla, ablandada
- 1 ½ kilo papas (patatas) pequeñas
- Sal al gusto

Preparación:

Poner 8 tazas de agua y 2 grandes pizcas de sal en una olla mediana y dejar hervir a fuego alto. Mientras tanto, calentar una sartén grande a fuego medio-alto hasta que esté caliente. Agregar los chiles y tostar, dándoles vuelta una vez, hasta flexible, de unos 30 segundos por cada lado.

Transferir los chiles a la olla de agua hirviendo. Añadir el vinagre y cocine hasta que estén blandos, unos 15-20 minutos. Escurrir, reservando 2 tazas del líquido de cocción.

Transferir los chiles a una licuadora, agregar el ajo y líquido de cocción reservado. Licuar hasta obtener una crema suave. Sazonar al gusto con sal y dejar apartado esta crema.

Colocar la rejilla del horno en el tercio inferior del horno. A continuación, precalentar el horno a 325 °. Colocar el jamón en una asadera grande.

Realizar alrededor de 20 pequeñas incisiones en todo el jamón con la punta de un cuchillo de cocina, luego frotar enteramente con la margarina y cubrir con la pasta reservada.

Asar en el horno, rociando cada 30 minutos, hasta que la temperatura interna en la parte más gruesa alcanza 360 °, dc 5-6 horas. (La pasta sobre el jamón se pondrá muy oscura y puede quemarse un poco.)

Mientras tanto, poner las papas en una olla grande, cubrir con agua fría y añadir 2 grandes pizcas de sal. Llevar a ebullición a fuego medio-alto y cocinar las papas hasta que estén blandas, unos 20 minutos. Escurrir, pelar y reservar. Agregar las papas junto con el jamón alrededor de 1 hora antes de que el jamón se haya terminado de asar.

Transferir el jamón a una tabla de cortar o bandeja. Retirar el hilo, cubrir con papel de aluminio, y dejar reposar durante 20 minutos antes de cortarlo. Servir con papas y jugos de la cocción.

Budín de Pan y Calabaza
con Salsa de Ron

Este budín de pan al estilo mexicano está repleto de cubos de calabaza y pasas regordetes.

En México, la melaza sólida de azúcar se vende en forma de cono truncado, con el nombre de piloncillo (en el centro y norte del país) o panela (en el sur), y es la base de varios postres mexicanos muy estimados.

Ingredientes para el budín: para 8 a 10 personas

- 10 cucharadas de mantequilla sin sal, derretida, y algo más para engrasar
- 3/4 taza de pasas
- 4 tazas de leche
- 2 cucharaditas extracto de vainilla
- 1 cucharadita canela en polvo
- 1 cucharadita nuez moscada molida
- 1/4 cucharadita sal
- 4 huevos, ligeramente batidos
- 1 calabaza mediana, 750 g aproximadamente - pelada y cortado en cubos de 1 cm (alrededor de 4 tazas)
- 170 g de pan duro cortado en cubos de 2 cms (alrededor de 6 tazas)
- 1 1/2 tazas de azúcar

- 2 cucharadas Grand Marnier o Cointreau

Ingredientes para la salsa:

- 225 g piloncillo, picado, o 1 1/2 tazas de azúcar morena
- 8 cucharadas de mantequilla sin sal
- 1/2 taza de crema de leche
- 1/4 taza de ron
- 1/4 cucharadita de sal
- Crema fresca batida, para servir

Preparación del budín de pan:

Calentar el horno a 350 °. Engrasar una fuente de vidrio o de cerámica para hornear con un poco de mantequilla y reservar.

Poner las pasas en un bol pequeño y cubrir con agua hirviendo. Dejar reposar durante 10 minutos.

Mientras tanto, batir la mantequilla derretida, la leche, el azúcar, el Grand Marnier, la vainilla, la canela, la nuez moscada, la sal y los huevos en un bol grande hasta que esté suave.

Escurrir las pasas y mezclar con la crema. Agregar también la calabaza y el pan y deje reposar por 10 minutos. Vierte la mezcla en el molde para hornear y cubrir con papel de aluminio.

Hornear durante 50 minutos, destapar y continuar la cocción hasta que el budín de pan se dore, alrededor de 1 hora más.

Preparación de la salsa:

Calentar el piloncillo, la mantequilla, la crema de leche, el ron y la sal en una cacerola de 2 litros a fuego medio-alto y cocinar hasta que el piloncillo se disuelva y se espese la salsa ligeramente, unos 5 minutos.

Poner a un lado y mantener caliente. Servir el budín de pan en platos, rociar con la salsa y cubrir con una cucharada de crema batida.

Dulce Crujiente de Cacahuetes y Pepitas de Calabaza

Este dulce mexicano es muy popular durante el tiempo festivo navideño. Como variedad se puede cortar el dulce en trozos sobre tu helado favorito y rociarlo con ron. ¡Les encantará a tus invitados!

Ingredientes: hace 24 trozos

- 2 tazas azúcar
- ½ taza agua
- 2 tazas cacahuetes tostados
- 3/4 taza semillas de calabaza (pepitas)
- 2 cucharaditas de mantequilla ablandada
- 1 cuadrito de chocolate semi-amargo derretido

Preparación:

Cubrir la superficie de una tabla para cortar con papel para hornear o papel encerado; rociar ligeramente con aceite en aerosol o engrasarlo. Reservar.

Calentar el agua y el azúcar en una cacerola grande y pesada, a fuego alto, durante 8 a 10 minutos o hasta que el azúcar adquiera un color ámbar oscuro, revolviendo frecuentemente.

Mover la cacerola en círculos y despegar los cristales de azúcar de los costados con un pincel para pastelería mojado, sólo hasta que el azúcar comience a hervir.

Retirar la cacerola del fuego. Incorporar rápidamente los cacahuetes, las pepitas de calabaza, la mantequilla y revolver.

Verter inmediatamente la mezcla sobre el papel para hornear y esparcir en forma pareja con una cuchara de madera.

Cortar en 24 trozos mientras esté caliente. Dejar enfriar por completo.

Rociar el dulce, o untar, con una fina capa de chocolate.

TIP: Las semillas de amaranto y calabaza son a la vez llenas de buenos aceites y minerales que son esenciales, así como también de proteínas. Puedes espolvorear las semillas sobre las ensaladas o utilizarlas en pudines. Son un buen combustible para el cuerpo.

PAN

Pan Oaxaqueño

Este es un pan tradicional de la región de Oaxaca, cuya cocina figura entre los más interesantes del país. Se trata de un pan dulce muy frecuente en desayunos y meriendas. Se suele utilizar para preparar tostadas.

Ingredientes: para 6 personas

- 1 kilo de harina de trigo
- 185 g de azúcar
- 5 huevos
- 1 clara y ½ yema para barnizar
- 1 cucharada de semillas de anís
- ¼ litro de agua tibia
- 45 g de levadura natural seca
- 1 cucharada de sal

Preparación:

Disolver la levadura en el agua tibia. Añadir 125 gramos de la harina y una cucharada de azúcar. Mezclar y mantener en reposo durante una hora.

Colocar el resto de la harina en un recipiente hondo. Hacer en el centro un hueco donde se pone el azúcar restante, la mantequilla, la sal, los huevos, el anís y la levadura.

Amasar hasta obtener una bola uniforme. Enharinar la mesada y trabajar la masa hasta que aparezcan burbujas y adquiera elasticidad.

Dejar reposar la masa en un recipiente engrasado, cubierto con un paño y situado a salvo de corrientes en un lugar templado hasta que duplique su volumen.

Luego formar dos panes redondos, colocarlos sobre una fuente de horno engrasada y dejar reposar hasta que vuelvan a duplicar su tamaño.

Dar algunos cortes en la superficie de cada pan, barnizar con las claras y hornear a 190° C durante unos 40 minutos.

Esponjoso Pan de Maíz Mexicano

Una receta riquísima e ideal para poder absorber hasta la última gota de sopas y guisos.

Ingredientes: para 9 porciones

- 1 taza de harina
- 1 taza de harina de maíz
- 1/4 taza de semillas de linaza molida
- 1 cucharada de azúcar
- 2 1/2 cucharaditas de polvo para hornear
- 1 cucharadita de sal
- 2 huevos
- 1 1/2 tazas de leche sin grasa
- 1 cucharada de aceite de oliva
- 1 1/2 tazas de maíz
- 1 1/2 taza (170 g) de queso bajo en grasa, rallado
- 1/2 taza de pimiento rojo finamente picada

Preparación:

En un bol grande, mezclar bien la harina, la harina de maíz, la linaza, el azúcar, el polvo de hornear y la sal.

En un bol pequeño, batir los huevos, la leche y el aceite. Añadir y mezclar, apenas hasta humedecido, los ingredientes secos. Agregar el maíz, 1 taza de queso y el pimiento.

Trasladar a un molde para hornear engrasado. Espolvorear con el queso restante.

Hornear a 350 ° durante 25-30 minutos o hasta que, al insertar un palillo cerca del centro, éste salga limpio.

Servir tibio.

PESCADO

Tacos de Pescado a la Cerveza

Al agregar cerveza a la masa ayuda que el pescado quede dorado al freír.

Ingredientes: para 4 personas

- 1 1/2 tazas col verde rallado
- 2 limones (1 cortado en trozos)
- 1 1/2 cucharadas de sal y más a gusto
- 2 tazas de harina
- 1/2 taza de harina de maíz
- 1 botella (340 g) de cerveza oscura
- 1 huevo
- Aceite de canola para freír

- 450 g pargo rojo, sin hueso, sin piel cortado en tiras de unas 3 cms
- 2 cucharaditas chile en polvo
- 16 tortillas de maíz
- ¼ cebolla roja, en rodajas finas
- 4 ramitas de cilantro, picado
- 1 tomate, sin corazón y picado
- Crema agria o crema fresca
- Salsa picante mexicana (ver receta)
- Sal

Preparación:

En un bol, mezclar el repollo y el jugo de 1 limón. Sazonar con sal al gusto y refrigerar.

En otro bol, mezclar 1 1/2 cucharada de sal, 1 1/2 tazas de harina, el almidón de maíz, la cerveza y el huevo para hacer una pasta.

Verter el aceite en una fuente de 5 litros a una profundidad de 4 cms.

Calentar el horno a 375°. Rociar el pescado con el chile en polvo y sal.

Poner la harina restante en un plato. Pasar el pescado por la harina. Sacudir el exceso de harina. Meter el pescado en la pasta y freír hasta crujiente, unos 3 minutos.

Poner sobre una rejilla del horno para mantener caliente.

Calentar a fuego medio-alto una sartén. Agregar las tortillas y cocinar, volteando, hasta que estén calientes.

Para servir, junta 2 tortillas, rellenar con un poco del pescado y el col.

Rociar con una rodaja de limón y decorar con cebolla, cilantro, tomate, crema agria y salsa picante. Repetir el procedimiento.

Pasta: de Chiles Chipotles

Ingredientes:

- 200 g chiles chipotles
- 4 cucharadas de adobo
- 2 cucharadas de aceite de oliva o de maíz
- 3 dientes de ajo
- 2 cucharaditas de cilantro en polvo
- 1 cucharadita de tomillo
- 1 cucharadita de pimienta negra molida

Preparación:

Mezclar todos los ingredientes en una procesadora de alimentos. Batir por un minuto.

Los ingredientes deben quedar mezclados pero no muy cremoso.

Bien tapado se puede guardar durante 3 semanas en el refrigerador.

Ceviche de Pescado

El ceviche es una receta muy popular mexicana. Para obtener un resultado correcto es importante emplear un pescado que se caracterice por la firmeza de su carne como la corvina, la caballa, el pargo o el besugo.

Ingredientes: para 4 personas

- 250 g. de emperador
- 2 aguacates
- 250 g. de gambas
- 1 naranja
- 1 limón
- 1 cebolla
- Cilantro
- Tabasco
- Pimienta y sal al gusto

Preparación:

Una vez limpio el pescado, trocear en dados pequeños y rociar con el zumo del limón, dejándolo macerar.

Echar el zumo de naranja por encima.

Trocear la cebolla y el cilantro y mezclar con el pescado.

Salpimentar.

Remover con cuidado.

Disponer en copas de marisco o en fuentes y adornar con rodajas de aguacate y las colas de las gambas peladas.

POLLO

Mole Verde de Zacatecas con Pollo

Esta receta es más ligera y más simple que las de Puebla y Oaxaca que llevan nueces. Esta versión de Zacatecas se hace con tomatillos frescos, cilantro, jalapeños y ajo.

Ingredientes para el pollo:

- 1 kilo 400 g - 1 kilo 800 g pollo entero, cortado en 8 piezas
- ½ taza tallos de cilantro picado
- 2 cucharadas sal
- 1 cucharadita granos de pimienta negra enteros
- 2 dientes de ajo, picados
- 1 cebolla amarilla grande, picada
- 1 hoja de laurel

Ingredientes para el mole:

- 230 g de tomatillos, pelados y picados
- 2 jalapeños, sin tallo y picadas

- ½ taza de hojas de cilantro
- 2 cucharadas sal y más a gusto
- 2 dientes de ajo, picados
- 2 tortillas de harina, tostadas
- 3 cucharadas aceite de canola

Preparación:

Cocinar el pollo. Colocar el pollo, el cilantro, la sal, la pimienta, el ajo, la cebolla, el laurel, y 12 tazas de agua en una cacerola y llevar a ebullición. Reducir el fuego a medio-bajo y cocinar, cubierto y revolviendo ocasionalmente, hasta que el pollo esté tierno, aproximadamente 30 minutos.

Retirar el pollo de la sartén y colar el líquido por un colador fino. Reservar 4 tazas y guardar el líquido restante para otro uso. Poner el pollo y el líquido a un lado.

Poner los tomatillos a calentar con los jalapeños en una cacerola a fuego medio y cocinar, revolviendo ocasionalmente, hasta que oscurece y se espesa, aproximadamente10 minutos.

Transferir a una licuadora con el cilantro, la sal, el ajo, las tortillas, y 1 taza del líquido reservado de la cocción. Hacer un puré.

Calentar el aceite en una cacerola a fuego medio-alto. Agregar la salsa de tomatillos y freír, revolviendo constantemente, hasta que se espese formando una pasta, unos 5 minutos.

Agregar el líquido de cocción restante y batir llevando a ebullición. Reducir el fuego a medio-bajo y cocinar, revolviendo, hasta que se haya reducido y espesado, unos 30 minutos.

Añadir los trozos de pollo y cocinar hasta que esté caliente, a unos 10 minutos. Servir con arroz y tortillas.

Pollo Plaza de Morelia

La carne predominante en la dieta de los pobladores precolombinos no era el pollo, sino el pavo (guajolote). Sin embargo, el pollo ha ido ganando terreno hasta situarse entre los productos más habituales de la gastronomía.

Ingredientes: para 6 personas

- 1 pollo de aproximadamente 750 g
- 12 tortillas de maíz
- 150 g de queso fresco desmenuzado
- 3 papas (patatas, cortadas en dados)
- 3 zanahorias grandes, cortadas en dados
- 3 chiles poblanos secos
- 5 chiles guajillo
- 1 ½ cebollas
- 6 dientes de ajo
- 1 cucharada de mantequilla
- 2 ramitas de perejil
- Aceite de oliva
- Sal

Preparación:

Cortar el pollo en trozos y cocinarlo en un litro de agua, con una cebolla, dos dientes de ajo y el perejil. Escurrir cuando esté tierno y reservar el caldo.

Cocinar mientras tanto las papas y las zanahorias en otra cacerola con agua y sal.

Limpiar los chiles, asarlos en una sartén e introducirlos en agua hirviendo durante 20 minutos.

Asar cuatro dientes de ajo y media cebolla, añadir media taza del caldo del pollo y triturar con los chiles.

Derretir una cucharada de mantequilla en una sartén. Saltear a fuego vivo durante 2 minutos, agregar una taza y media del caldo del pollo y mantener a fuego medio otros 5 minutos, sin que se espese demasiado.

Calentar una cucharada de aceite en una sartén. Pasar cada tortilla por la salsa, y freír ligeramente. Espolvorearla con un poco de queso fresco, enrollarla y disponerla en una fuente.

Rehogar el pollo, las zanahorias y las papas en el mismo aceite, a fuego fuerte hasta que se doren.

Para servir, cubrir el centro de cada plato con un lecho de tiras de lechuga. Colocar dos enchiladas y un trozo de pollo encima de la lechuga y poner las verduras a un lado. Salpicar con los aros de cebolla y el queso fresco.

Alitas de Pollo al Tequila

El tequila hace más tierna la carne y aporta un sabor exquisito a estas sabrosas alitas. Servir con tortillas de maíz, frijoles refritos, salsa y cerveza bien fría.

Ingredientes: para 4 personas

- 900 g de alitas de pollo
- 11 dientes de ajo majados
- Zumo de 2 limas
- Zumo de 1 naranja
- 2 cucharadas de tequila
- 1 cucharada de guindilla molida suave
- 2 cucharaditas de salsa de chipotle envasada, o 2 chipotles secos, rehidratados y triturados (ver TIP)
- 2 cucharadas de aceite vegetal
- 1 cucharadita de azúcar
- ¼ cucharadita de pimienta inglesa molida

- Una pizca de canela molida
- Una pizca de orégano seco
- Tomates partidos en dos, asados a la brasa o gratinados, para acompañar (opcional)

Preparación:

Cortar las alitas de pollo en dos trozos, a la altura de la articulación. Ponerlas en una fuente que no sea metálica y añadir los demás ingredientes.

Remover todo para que quede bien untado.

Tapar la fuente y dejar macerar en el refrigerador durante 3 horas como mínimo, o hasta el día siguiente.

Precalentar la barbacoa.

Asar las alitas, dándoles la vuelta de vez en cuando, de 15 a 20 minutos, o hasta que estén doradas y crujientes y el jugo salga claro al pincharlas.

Se pueden servir acompañadas de tomates asados.

TIP: Para rehidratar los chipotles, ponerlos en un cazo y cubrirlos con agua. Llevar a ebullición, con cuidado de que los vahos no te lleguen al rostro. Cocer durante 5 minutos y reservar hasta que se hayan ablandado. Sacar el agua y desechar las semillas y los rabillos.

Cazuela al Estilo Mexicano

Este plato es rápido y fácil. Lo que sobra se puede congelar para otra oportunidad.

Ingredientes: para 8 porciones

- 900 g de pavo molido
- 1 cebolla mediana, picada
- 1 lata o 420 g de tomates cortados en cubitos, sin escurrir
- 1 sobre de condimento para tacos (ver receta)
- 7 tortillas de harina (25 cms aproximadamente)
- 2 huevos
- 1 1/3 tazas de requesón o ricotta
- 1 1/2 taza (170 g) de queso Cheddar rallado
- Tomates frescos picados, lechuga picada y crema agria, opcional

Preparación:

En una sartén grande, cocinar el pavo y la cebolla a fuego medio hasta que la carne ya no es de color rosa. Luego escurrir.

Agregar los tomates y sazonar con el condimento para tacos.

Cocinar y revolver hasta que espese, aproximadamente 5 minutos.

Colocar cuatro tortillas, ligeramente superpuestas, en la parte inferior y los costados de un molde engrasado para hornear – aproximadamente 30 x 25 cms.

Cubrir con la mezcla de carne y el resto de las tortillas.

Mezclar los huevos, el requesón y ¾ taza de queso Cheddar y luego verter sobre las tortillas.

Cubrir y hornear a 350 ° durante 45-55 minutos o hasta que un cuchillo insertado cerca del centro, salga limpio.

Espolvorear con el resto del queso.

Servir con tomate, lechuga y crema si se desea.

Pollo en Chile Color

Una receta sencilla pero muy sabrosa. ¡A probarla!

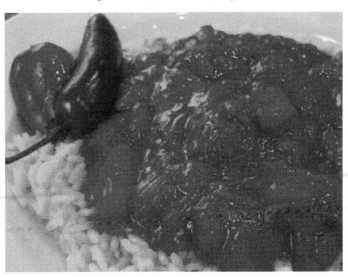

Ingredientes:

- Un pollo,
- 3 chiles color (es sinónimo del chile ancho)
- 3 tomates
- 1 cebolla chica
- 2 dientes de ajo
- Un poquito de comino
- Un poquito de orégano negro
- 4 rajitas medianas de canela.

Preparación:

Poner el pollo en piezas en una cacerola. Asar el chile, el tomate, la cebolla, y el ajo. Dorar el comino con el orégano, después moler. Licuar todos los ingredientes y después de obtener la mezcla, bañar las presas de pollo y agregar las rajitas de canela.

Cocinar tapado sobre fuego medio, hasta que el pollo esté cocido.

Acompañar con arroz blanco.

POSTRES

Capirotada

La capirotada se prepara con bolillo, un tipo de pancito blanco, o con pan de baguette del día anterior. Originariamente se trataba de una sopa espesa preparada con pan y verduras (ajo, cebolla, tomate) En la cuaresma, se preparaba una capirotada dulce, que adquiría formas diferentes en cada zona del país. Esta receta procede de los estados del norte.

Ingredientes: para 6 personas

- 20 o 25 rebanadas de pan viejo
- 10 tortillas de maíz tostadas
- 250 g de queso rallado
- 185 g de nueces picadas
- 180 g de azúcar morena
- ¾ litro de agua
- ¼ litro de leche
- 1 rama de canela

- 3 clavos de olor
- 155 g de mantequilla
- 100 g pasas de uva (opcional)

Preparación:

Para realizar el almíbar disolver a fuego lento el azúcar morena y luego agregar el agua, la canela y los clavos de olor.

Hervir sin dejar de revolver, hasta conseguir la consistencia de un almíbar ligero. Retirar del fuego. Agregar la leche y mezclar con un batidor.

Tostar el pan y untarlo con la mantequilla.

Forrar el fondo y los costados de una fuente para horno con las tortillas.

Mojar las rebanadas de pan con el almíbar y colocar una capa de pan sobre el fondo de la fuente. Espolvorear con queso rallado, pasas y nueces. Repetir el proceso hasta agotar los ingredientes.

Extender el almíbar restante sobre la capirotada, cubrir con papel de aluminio y hornear durante 20 minutos a unos 200° C.

Es necesario destapar la fuente de vez en cuando para alisar con una espátula la superficie de la capirotada.

Bajar el horno a 150° C y prolongar la cocción otros 30 minutos. Se sirve tibia.

TIP: Si la receta requiere azúcar impalpable (azúcar glas) y encuentras que no tienes, puedes conseguirlo fácilmente moliendo unas cucharadas de azúcar normal en un molinillo.

Burrito de Manzana con Canela

Un burrito dulce de manzanas horneado con jugo de fruto y especias. Una receta fácil y apetecible para todos. Experimenta tú mismo con diferentes rellenos. La manzana se puede sustituir por peras. Tal vez quieras sustituir las tortillas por panqueques. ¡Y todo listo en 45 minutos!

Ingredientes: para 4 personas

- 4 tortillas de harina
- 2 grandes manzanas verdes
- ½ taza de jugo de naranja
- 1 cucharada de jugo de limón o de lima
- ¼ cucharadita de canela
- ½ taza de nueces picadas
- 2 cucharadas de agua fría
- ½ cucharadita de clavo molido
- ⅓ taza de azúcar morena
- 1 cucharada de fécula de maíz
- 1 cucharada de mantequilla derretida
- Azúcar para espolvorear

Preparación:

Pelar, descarozar las manzanas, y cortar en cuatro. Luego cortar los cuartos en rodajas finas en sentido transversal.

Mezclar el jugo de naranja y de limón (o lima) con las manzanas en una cacerola mediana. Cubrir parcialmente la cacerola y llevar a ebullición.

Bajar el fuego y cocinar la fruta a fuego lento durante 5 minutos.

Agregar la canela, el clavo de olor y el azúcar moreno y mantener la cocción de la mezcla sin tapar durante 2 o 3 minutos, revolviendo de vez en cuando.

Mezclar la fécula de maíz con el agua en un bol pequeño y verter éste en la mezcla de manzana.

Llevar de nuevo a ebullición, revolviendo todo el tiempo. Cocinar durante 1 minuto y luego retirar del fuego. Agregar las nueces mientras sigues revolviendo. Transferir la mezcla a un bol y dejar enfriar.

Cubrir una bandeja para hornear con papel de aluminio ligeramente engrasada.

Trabajar con 1 tortilla a la vez, poner la cuarta parte de la fruta en el centro de la tortilla, dejando un borde de 2 cms en los extremos.

Doblar los extremos sobre el relleno, y luego doblar uno de los lados para cerrarlo.

Usando una brocha de pastelería sumergido en agua, humedecer el otro borde de la tortilla.

Seguir doblándolo hasta que queda sobre la parte humedecida. La apertura debe quedar hacia abajo en la bandeja para hornear. Repetir el procedimiento para las otras tortillas.

Con un pincel, pasar la mantequilla derretida sobre cada uno y espolvorear con azúcar. Hornear durante 20 a 25 minutos hasta que las tortillas estén doradas.

Dejar enfriar unos 20 minutos y luego cortar diagonalmente por la mitad para servir. Servir con crema fresca y una ramita de menta o helado, o dulce de leche.

Budín de Elote

Prueba este delicioso postre hecho de elote (maíz) – un sabor diferente. Y no es nada complicado.

Ingredientes: para 4 personas

- 3 elotes (mazorca de maíz) desgranados crudos
- 1 lata de leche condensada
- 200 g queso crema
- 5 huevos
- 90 gramos de mantequilla derretida
- 1 cucharadita de polvo para hornear

Preparación:

Poner en la licuadora los elotes con los 5 huevos para que se muelan bien hasta formar una crema. Luego agregar todos los demás ingredientes.

Engrasar un molde para horno con bastante mantequilla.

Precalentar el horno a 200° C. Meter el molde al horno y hornear durante 25 a 30 minutos.

DULCES TÍPICOS DE PUEBLA

Alegrías

Son dulces hechos a base de amaranto y piloncillo y popular entre los niños con un vaso de leche de soja bien fría. El amaranto, contiene un alto valor alimenticio, ya que contiene proteínas, calcio y hierro, llegando a prevenir el debilitamiento de los huesos. El amaranto tostado se vende in tiendas naturistas y muchos supermercados como cereal de amaranto.

Ingredientes: rinde unos 30 cuadraditos

- 1 ½ tazas de amaranto tostado
- 1/2 kilo de piloncillo o azúcar morena
- 1/4 litro de agua.
- El jugo de 1 limón o unas gotas de anís
- Nueces picadas al gusto

Preparación:

Pone a hervir el piloncillo en el agua. Una vez que esté hirviendo, agregar el jugo del limón y dejar hervir por 10 minutos más.

Para saber si está en su punto se deja caer una gota de este almíbar en un vaso de agua, debe hacer una bolita en el fondo, (245° F en un termómetro para dulces).

Cuando esto ocurra, mover unos minutos más y luego retirar del fuego.

Pasar el almíbar, con mucho cuidado, a un recipiente grande y agregar el amaranto y las nueces. Mezclar bien.

Luego colocar la mezcla en una un plato grande o en una tabla de madera. Presionar con un rodillo mojado o una botella hasta llegar a un espesor uniforme de 1 cm.

Cortar en tiras del tamaño de un dedo o en cuadraditos con un cuchillo, mojándolo cada vez que se hace un corte. Cortar rápidamente. Dejar enfriar.

Para guardar, envolver en papel celofán y guardar en un contenedor hermético de metal por hasta un mes.

Camotes

Es un dulce típico poblano hecho a base de camote que es una papa dulce.

Ingredientes: hace 36 porciones

- 1 kilo de camote
- 1 kilo de azúcar
- 1/2 litro de agua
- 5 gotas de esencia de naranja o limón
- 1 pizca de colorante vegetal, verde o naranja.

Preparación:

Poner a cocer los camotes en agua. Una vez cocidos pelar y machucar con un tenedor hasta formar una masa.

Disolver el azúcar en 1/2 taza de agua y poner a fuego lento hasta lograr un almíbar. Cuando el almíbar esté listo mezclar con el puré de camote.

Poner a fuego medio la mezcla, revolviendo constantemente con una cuchara de madera, hasta que la masa quede ligeramente pegajosa.

Dejar enfriar un poco y luego agregar la esencia y el colorante, revolviendo muy bien. Extender la pasta sobre una superficie plana y dejar enfriar. Con la mano se forman los camotitos y después se azucaran.

Se dejan secar muy bien y enseguida se envuelven en papel encerado y se guardan en un lugar fresco.

REPOSTERÍA

Pastel de Tres Leches

En México se llama pastel a este bizcochuelo o torta impregnada de un almíbar hecha de leche evaporada, leche condensada y crema fresca. Aunque no tiene sus orígenes en la tradición mexicana, su popularidad ha crecido tanto en diversos países que es asociada con la cocina mexicana. Es una receta fácil (llevará una hora en total) y tan rica que es el favorito de muchos.

Ingredientes para el pastel: rinde 12 porciones

- 1 1/2 tazas de harina para repostería
- 1 pizca de sal
- 1 cucharadita de polvo de hornear
- 1 taza de azúcar
- 1 cucharadita de extracto de vainilla
- 5 huevos grandes
- 1/3 taza de aceite
- 1/2 taza de leche entera

Preparación:

Mezclar la harina, el polvo de hornear y la sal.

En un recipiente aparte, mezclar el aceite, el azúcar y el extracto de vainilla. Añadir los huevos a la mezcla de azúcar de uno en uno hasta que estén bien combinados.

Agregar la leche, y luego añadir de a poco la mezcla de harina.

Verter la mezcla en una bandeja para hornear ligeramente engrasada y hornear a 325° durante 30-40 minutos o hasta que se sienta firme y un palillo insertado salga limpio.

Dejar enfriar la torta (pastel) hasta que esté a temperatura de ambiente.

Darle la vuelta sobre un plato con bordes elevados. Pinchar con un tenedor unas 20 a 30 veces. Dejar que se enfríe en el refrigerador durante 30 minutos.

Para el almíbar de leche:

- 1/2 taza de leche evaporada
- 1/2 taza de leche condensada
- 1/2 taza de crema de leche
- 1 cucharada de ron o brandy (opcional)

Batir las tres leches juntas y el ron o coñac (si lo deseas utilizar).

Lentamente verter el líquido sobre la torta enfriada de modo que quede impregnada de las leches.

Refrigera durante 1 hora. De vez en cuando, echar sobe la torta el almíbar que cae a los costados.

El sabor y la textura son mucho mejor si se deja durante toda la noche y se consume al día siguiente, ya que ha tenido tiempo de absorber todo el líquido. Servir frío.

Para la cobertura:

- 3/4 taza de crema de leche
- 1 cucharadita de vainilla
- 1 cucharada de azúcar

En un bol frío, agregar la crema de leche, la vainilla y el azúcar. Batir a velocidad alta hasta que se formen picos. Extender una capa fina sobre la torta.

Espolvorear con una pizca de canela o decorar con bayas frescas.

Galletas Mexicanas de Chocolate

Unas riquísimas galletas mexicanas de chocolate con un toque picante - a lo tradicionalmente mexicana. Claro, si prefiere sin el picante solo tienes que omitir el chile en polvo.

Ingredientes: rinde unas 30 galletas

- 2 1/4 tazas de harina
- 1/2 taza de cacao en polvo sin azúcar
- 2 cucharaditas de cremor tártaro
- 1 cucharadita de bicarbonato de sodio
- 1/2 cucharadita de sal gruesa
- 250 g de mantequilla sin sal, a temperatura ambiente
- 1 3/4 tazas de azúcar
- 2 huevos grandes
- 2 cucharaditas de canela
- 1/2 cucharadita de chile en polvo (opcional)

Preparación:

Precalentar el horno a 400 grados.

En un bol mediano, cernir la harina, el cacao en polvo, el cremor tártaro, el bicarbonato y la sal.

En un bol grande, usando una batidora eléctrica, batir la mantequilla y 1 1/2 tazas de azúcar a velocidad media hasta que esté suave y esponjoso, alrededor de 2 minutos.

Raspar los lados del bol.

Agregar los huevos y batir para unir.

Con la batidora a baja velocidad, añadir poco a poco la mezcla de harina y batir hasta que se mezclen bien todos los ingredientes.

En un bol pequeño, mezclar 1/4 taza de azúcar, la canela y el chile en polvo (si se utiliza).

Usando cucharadas colmadas, formar bolas de masa y rodar en la mezcla de canela y azúcar.

Colocarlos sobre la bandeja de hornear a unos 5 cms de distancia de cada uno.

Hornear hasta que las galletas estén cocinados en el centro y comienzan a agrietarse - unos 10 minutos.

Dejar enfriar las galletas.

Se puede conservar en un recipiente hermético hasta una semana.

Sopaipillas con Salsa de Chocolate

Las populares sopaipillas con un toque diferente. Excelente para la merienda de la tarde.

Ingredientes para la salsa:

- 1/2 taza de azúcar morena
- Una pizca de sal
- 1/2 taza de cacao en polvo sin azúcar
- 3 cucharadas de mantequilla sin sal
- 1/2 cucharadita de extracto de vainilla

Ingredientes para las sopaipillas:

- Aceite vegetal, para freír
- 4 tortillas de harina de unas 25 cms, cortadas en trozos o tiras
- Azúcar granulada, para la cobertura

Preparación de la salsa:

Poner a hervir 1/4 taza de agua junto con el azúcar moreno y la sal, en una olla pequeña, revolviendo hasta que el azúcar se disuelva.

Agregar el cacao en polvo y batir hasta que quede suave.

Retirar del fuego y agregar la mantequilla y la vainilla. (Se puede refrigerar la salsa hasta 3 días. Cubrir primero. Recalentar antes de servir.)

Preparación de las sopaipillas:
Calentar 1 cm de aceite vegetal en una sartén grande y profunda hasta que esté muy caliente.

Freír las tortillas - se pueden freír varias al mismo tiempo - dándoles vuelta una vez, hasta que tengan burbujas y estén doradas por ambos lados, 1 a 2 minutos.

Transferir a una servilleta de papel y espolvorear generosamente ambos lados con azúcar granulada.

Rociar con la salsa de chocolate.

SALSAS

Salsa Picante

Primero debes elegir el chile a usar para determinar el grado de picante que deseas.

Los chiles jalapeños es son ideales para hacer salsas ligeras. Tienen un sabor fuerte pero no tan picante como otros chiles. Los chiles serranos son muy parecidos a los jalapeños, pero pican bastante más. El chile habanero es pequeño pero es uno de los chiles más picantes que existen y debes utilizarlo cuando estás determinado a gustar de lo más picante. Es mejor comenzar con algo poco picante que con algo demasiado fuerte.

Luego selecciona la cantidad adecuada de chiles de acuerdo a tu gusto. Una salsa ligera requiere de unos 225 gr de chiles, mientras que una muy picante requiere de unos 900 gr.

Ingredientes: rinde 3 tazas aproximadamente

- 250 a 900 gr de chiles
- 1 diente de ajo
- ½ cebolla grande
- 450 g de salsa de tomate
- 1 cucharada de vinagre
- 1 cucharadita de chile rojo triturado
- 2 cucharaditas de sal

Preparación:

Picar finamente el diente de ajo y la cebolla. Sacar las semillas a los chiles. Poner el ajo, la cebolla, los chiles y la salsa de tomate en una procesadora de alimentos y mezclar hasta formar una crema.

Colocar esta mezcla en una sartén. Agregar la sal y el chile rojo. Cocinar a fuego medio hasta que hierva. Agregar el vinagre.

Guardar esta salsa en un recipiente de vidrio.

Salsa de Chipotle

Hay infinidad de variaciones de las salsas. Esta es una de ellas. Suele suceder que no se hace nunca de la misma manera.

Ingredientes: rinde 1 taza

- 1/2 taza de yogur natural
- 2 cucharaditas de puré de pimientos chipotle en salsa de adobo
- 1/2 taza de mayonesa

Preparación:

En un bol pequeño mezclar los chiles chipotle en la salsa con el yogur y la mayonesa.

Mezclar bien, hasta que esté suave.

Enfriar antes de servir.

TIP: La salsa es un importante acompañamiento al plato. Complementa los sabores y, a menudo, proporciona juegos de contrastes de sabores, texturas y temperaturas. Por ejemplo, un guacamole dulce (sin picante) para una quesadilla fuerte, o una salsa mexicana si el relleno es queso.

Salsa Verde

Las salsas verdes son casi siempre más suaves que las salsas rojas. La principal diferencia entre la salsa común y la salsa verde es que se utilizan tomatillos en lugar de los tomates rojos. Son los tomatillos lo que le dan a la salsa verde el sabor fuerte y picante, junto a los sabores de los abundantes chiles asados y las cebollas verdes.

Ingredientes: rinde 3 - 4 tazas

- 12 a 15 tomatillos, sin cáscara, cortado en 4
- 5 dientes de ajo
- 1 cebolla mediana picada gruesa
- 1 manojo de cilantro
- 1 cucharadita de sal
- 1 cucharadita de aceite vegetal
- 1 jalapeño, sin semillas
- 3 chiles verdes, grandes (como Poblano, Ancho, o Anaheim) tostados y sin piel
- 1 cucharada de jugo de lima

Preparación:

Agregar las cebollas, jalapeño y tomatillos en una procesadora de alimentos y pulse 4-5 veces.

Agregar los ingredientes restantes y pulse hasta obtener la consistencia deseada.

La salsa verde puede ser servida inmediatamente, pero es mejor cuando se deja en el refrigerador durante la noche para que los sabores se mezclen.

Salsa Picante de Piña

La textura firme de la piña y el sabor agridulce tan perfecto de la salsa hace un acompañamiento ideal para las carnes ricas.

Ingredientes: rinde 1 1/3 tazas

- 1 taza de piña fresca picada finamente
- 1/4 taza de cilantro finamente picado
- 3 cucharadas jugo de limón fresco
- 2 cucharadas zumo de naranja natural
- 1/2 cucharadita azúcar
- 1 cucharadita sal
- jalapeños, sin tallo y picados
- 1/2 cebolla roja pequeña, picada

Preparación:

En un bol grande, mezclar bien todos los ingredientes. Servir a temperatura de ambiente.

TIP: Cuando trabajas con los chiles no te toques los ojos o cualquier parte sensible de la piel después de haber manipulado los chiles ya que te causarán una gran irritación.

Lávate perfectamente las manos con mucho jabón.

Si tienes cortes o algún problema de piel deberás utilizar guantes. La irritación en la piel no se te quitará pronto aunque la laves muy bien.

Si vas a utilizar muchos chiles, definitivamente utiliza guantes aunque tu piel esté intacta, ya que cuando menos te des cuenta te arderán las manos y esa sensación te quedará por algunas horas.

Salsa de Tomatillos
y Chiles Chipotle Asados

Esta salsa es riquísima servida con tamales. Sabe mejor el día que se hace, pero se puede refrigerar hasta por una semana en un recipiente hermético.

Ingredientes: rinde 1 ¼ tazas aproximadamente

- 3 dientes de ajo grandes, sin pelar
- 5 a 6 medio (225 g) de tomatillos medianos, pelados y enjuagados
- 1/2 cucharadita de sal
- 1/4 cucharadita de azúcar, opcional
- 3 a 6 (7-14 g) de chiles chipotles secos colorados (chiles morita), o 2 a 4 (7-14 g) de chiles chipotles secos mecos, o 3-6 chiles chipotles enlatados en adobo

Preparación:

Poner una sartén grande sin engrasar a fuego medio.

Si utilizas chiles secos, romper sus tallos. Tostar los chiles, unos pocos a la vez. Colocarlos en la superficie caliente, presionar, aplanándolos durante unos segundos con una espátula de metal (así liberan su aroma ahumado), y luego darlos vuelta, y presionar hacia abajo para tostar por el otro lado.

Transferir los chiles tostados a un bol, cubrir con agua caliente, y dejar rehidratar durante 30 minutos, revolviendo con regularidad para asegurar un remojo parejo.

Verter toda el agua, y descartar. Si utilizas chiles enlatados, simplemente apartarlos de la salsa de adobo en el que se presentan.

En una sartén sin engrasar pesada, o plancha, a fuego medio, asar el ajo sin pelar, revolviendo ocasionalmente, hasta que esté negro en algunas partes y suaves, aproximadamente 15 minutos.

Dejar enfriar, sacarles la piel, y picar.

Precalentar el asador del horno.

Colocar los tomatillos en una bandeja para horno. Colocar la bandeja a 10 cms aproximadamente del fuego.

Después de unos 5 minutos, cuando los tomatillos se hayan abierto, ennegrecido, y estén suaves por un lado, darles la vuelta, y tostar del otro lado.

Dejar enfriar completamente en la bandeja para hornear.

Raspar los tomatillos (y los jugos que se han acumulado alrededor de ellos) en un molcajete (mortero de piedra), en una procesadora de alimentos o licuadora y agregar los chiles y el ajo rehidratados o enlatadas.

Mezclar hasta que todo esté espeso y relativamente suave.

Picar los chiles en pequeños trozos y luego agregar a la mezcla del tomatillo.

Transferir la salsa a un recipiente para servir y agregar suficiente agua para dar a la salsa una consistencia fácil de tomar con cuchara, unos 3 a 4 cucharadas.

Sazonar con sal y añadir el azúcar si desea suavizar su sabor algo amargo.

TIP: El secreto de una buena salsa es tostar los tomates, chiles y cebolla para obtener el máximo sabor. El tostado es un proceso por el que se aplica calor a los productos alimenticios secos sin el uso de aceite o agua. A diferencia de otros métodos de calor seco, tostado en seco se usa con alimentos tales como nueces y semillas. Se van revolviendo los alimentos mientras se tuestan para asegurar un calentamiento uniforme. Se puede realizar en una sartén o wok.

El proceso de tostar los alimentos cambia la química de sus proteínas, cambiando su sabor, y mejorando el aroma y el sabor de algunas especias.

SOPAS

Menudo

Menudo es una sopa mexicana hecha con tripa, maíz molido y una mezcla de especias con un distintivo sabor. Tripa se refiere a los estómagos de una vaca, mondongo o callos.

Ingredientes: para 6 - 8 personas

- 2 kilos 700 g mondongo (panal), lavado, cortado en trozos de 2 cms.
- 1 1/2 cebollas
- 1 cabeza de ajo – pelar los dientes
- 850 g de maíz molido
- 4 cucharaditas de una mezcla de especias *
- Sal al gusto
- 1 manojo de cilantro picado
- Rodajas de limón
- Tortillas de maíz

* Las especias que se utilizan para hacer menudo son el orégano, chile, cilantro, comino y cebolla. Se combina una parte de pimiento rojo chile machacada, orégano dos partes, una semilla de cilantro picado o molido, comino en polvo, una parte, y dos partes de cebolla en polvo.

Preparación:

Colocar el mondongo en una cacerola grande y cubrir con agua suficiente para cubrir las tripas por unos centímetros.

Cortar una cebolla y colocar en la cacerola junto con los dientes de ajo.

Picar la otra mitad de cebolla y colocar en un bol.

Tapar y refrigerar hasta que esté listo para servir.

Poner a hervir la olla con el mondongo a fuego alto y luego reducir el fuego cuando ya hierve.

Cocinar durante cuatro horas.

Agregar el maíz molido y la mezcla de especias.

Dejar hervir durante unos 15 minutos. Añadir sal al gusto.

Servir el menudo en un plato con cebolla picada, cilantro, rodajas de limón y tortillas de maíz.

TIP: Para una salsa de pasta cremosa que no requiere mucha mantequilla ni queso, echar a la pasta caliente un huevo batido a temperatura de ambiente y un poco del agua de la cocción y revolver con fuerza.

Sopa Veracruzana

Esta sopa típica del estado de Veracruz resulta bastante completa en su elaboración, pues contiene pescado, verduras, arroz y huevo duro rallado - elementos que definen la misma textura del caldo. Las aceitunas troceadas y las alcaparras, por su fuerte sabor, destacan sobre el resto de ingredientes que confeccionan el plato.

Ingredientes: para 8 personas

- ½ kilo pescado blanco (lubina, merluza, huachinango)
- 2.5 litros agua
- 100 g arroz
- 3 zanahorias
- 1 papa (patata) mediana
- 2 huevos
- ½ cebolla
- 10 aceitunas sin hueso
- 3 tomates grandes o 250 g de tomate triturado
- 4 cucharadas aceite de oliva
- 3 cucharadas alcaparras
- 1 cucharada perejil
- Sal y pimienta a gusto

Preparación del caldo de pescado:

Retirar las escamas al pescado blanco, pasando el cuchillo en sentido contrario por encima de la superficie. Cortar la cabeza del pescado y reservarlo.

Pasando el cuchillo por el borde de la espina, sacar los filetes. Cortarlos en dados iguales y no muy grandes. Reserva la espina.

Trocear la espina y la cabeza. Llevarlas a ebullición en una cacerola con 2.5 litros de agua. Dejar que hierva unos 30 minutos.

Durante la cocción limpiar el caldo de pescado ocasionalmente con una espumadera.

Cuando termine la cocción, colarlo y reservarlo en un bol hasta su uso.

La sopa:

Lavar 100 gramos de arroz y dejar en remojo en agua durante 30 minutos. Volver a lavar y reservar. Así se facilita una cocción más rápida del arroz.

Pelar las zanahorias y la papa. Cortar en dados muy pequeños.

Poner los huevos en una cacerola con agua y llevar a ebullición. Dejar hervir durante 10 minutos.

Dejar enfriar, retirar la cáscara y picar los huevos. Reservar.

Picar ½ cebolla bien fina y reservar. Pelar los ajos y cortar en rodajas. Reservar todo. Cortar las aceitunas en láminas finas. Reserva.

Pelar los tomates y sacarles las pepitas hasta que quede un puré. Reservar. Recuerda que también se puede utilizar tomate triturado y ahorrarte este paso.

En una cazuela grande, calentar el aceite de oliva. Poner la cebolla y, con el fuego bajo, dejar que se ablande y tome un poco de color.

Añadir los dados de zanahoria y de papa. Cocer unos minutos a fuego suave.

Incorporar el pescado troceado y sazonar con sal y pimienta a gusto. Revolver con una cuchara de madera para distribuir los ingredientes de la sopa.

Incorporar el ajo y revolver. Para evitar que se queme, añadir inmediatamente el puré de tomate y dejar que se fría unos 5-6 minutos.

El acabado:

Verter 1,5 litros del caldo reservado y dejar que comience a hervir. Se puede añadir más o menos cantidad de caldo según lo desea.

Añadir el arroz lavado, las aceitunas troceadas y las alcaparras, previamente desaladas.

Hervir a fuego fuerte unos 25 minutos.

Cuando el pescado y las verduras estén casi deshechos, retirar del fuego. Servir en un plato hondo, aderezado con un poco de perejil picado y huevo duro picado por encima.

TIP: Si hierves verduras, no tires el agua de cocción ya que se puede utilizar para hacer salsas o sopas y así no desperdiciar los nutrientes del agua.

TACOS

Tacos de Verdura

Una receta práctica, fácil y saludable para cualquier hora.

Ingredientes: para 4 personas

- ½ calabaza, pelada y cortada en grandes cuñas
- 1 chile rojo, sin semillas y picado
- 1 cucharada de mezcla de condimentos
- 1 cucharada de aceite
- 400 g de frijoles refritos
- 2 tomates, picados
- 4 cucharadas de yogur
- La ralladura y el jugo de 1 limón
- 8 tortillas de harina

Preparación:

Calentar el horno a 180° C/200° C

En una bandeja para asar, mezclar la calabaza con el chile, las especias, el aceite y los condimentos, y luego asar durante 25 minutos hasta que estén tiernos.

Calentar suavemente los frijoles refritos con los tomates picados hasta que estén calientes.

Mezclar el yogur con la ralladura de limón y el jugo.

Calentar las tortillas y untar con una fina capa de frijoles.

Cubrir luego con la calabaza, un poco de cilantro o lechuga y una cucharada de yogur.

TIP: Para reducir el picante de una salsa: abrir los chiles y quitarles las semillas y venas. Otra manera es agregar rebanadas de zanahoria. Esto le ayuda mucho a las salsas de habanero, donde la dulzura de las zanahorias ayuda a que salga el verdadero sabor afrutado del chile.

Tacos de Carne y Verdura

Los tacos pueden rellenarse con ingredientes muy distintos e incluso el sofrito de carne puede convertirse en algo semejante a una boloñesa si se le añade un poco de concentrado de tomate. Las verduras pueden saltearse ligeramente si no se quieren comer crudas.

Es un plato excelente para cenas informales si se sirven los ingredientes por separado y se deja que cada cual se prepare los tacos a su gusto.

Ingredientes: rinde 6 porciones

- 2 cebollas
- 400 g carne de ternera o cerdo picada
- 4 tomates rojos
- 12 tortillas de trigo o maíz
- 6 cucharadas alubias cocidas
- 12 cucharadas queso Cheddar rallado (o cualquier queso para fundir)
- Cilantro en polvo a gusto
- Chile en polvo a gusto
- Comino molido en polvo a gusto

- 2 zanahorias
- 1 pimiento verde
- Sal al gusto
- 3 cucharadas de aceite de olive

Preparación:

Pelar y picar finamente las cebollas. Calentar el aceite en una sartén y añadir la carne junto con la cebolla y sofreír sin dejar de revolver para que la carne quede suelta. Sazonar con la sal, el chile, el cilantro y el comino.

Por último, añadir las alubias y sofreír el conjunto unos minutos a fuego medio. Retirar del fuego pero mantener caliente.

Pelar la cebolla restante y cortar en tiras finas. Pelar las zanahorias y rallar o cortarlas en tiras finas.

Lavar los tomates y cortar en rodajas.

Lavar el pimiento verde y cortar en tiras finas.

Calentar las tortillas en el microondas durante unos segundos, tapadas con un paño húmedo para que no se sequen.

Rellenar cada tortilla con un poco de la carne salteada, una cucharada de zanahoria rallada, un poco de cebolla y pimiento, algunas rodajas de tomate y el queso Cheddar por encima.

Enrollar y comer inmediatamente.

Servir los tacos acompañados con un poco de ensalada.

TIP: Para conseguir una salsa de carne sin grumos, agregar una pizca de sal (nada más) al agua antes de mezclar la salsa.

Flauta

Su nombre se debe a las típicas flautas del norte de México que se hacen con tortillas grandes y resultan muy largas, como una flauta.

Las flautas son tortillas rellenas, enrolladas y sujetas con un palillo para poder freírlas en aceite bien caliente. Se sirven bañadas en salsa, queso y cebolla.

Los tacos llamados "Flautas" utilizan rellenos de carne asada en la barbacoa (por que se desmenuza fácilmente) o bien pollo hervido. Luego de armados se fríen y se bañan en salsas.

Ingredientes: para 6 personas

- 1 taza de carne hecha en la barbacoa desmenuzada
- 18 tortillas de maíz grandes y finas
- 1 bote de crema de leche
- 250 g de queso añejo rallado

Ingredientes para la salsa:

- 20 tomatillos verdes pequeños
- 5 chiles serranos
- 14 chiles guajillo
- aguacate
- 1 diente de ajo
- Sal al gusto

Preparación:

Rellenar las tortillas de maíz con la carne de barbacoa.

Enrollar y cerrar bien.

Preparación de la salsa:

Hervir los tomates, los chiles y el ajo en agua con sal.

Retirar, pelar los tomatillos, retirar la piel, las semillas y los rabillos a los chiles y licuar todo.

Agregar la pulpa del aguacate previamente pasada por colador.

Freír en aceite bien caliente hasta que se dore.

Retirar y colocar sobre papel de cocina para que absorba el aceite sobrante.

Servir bañados de salsa y crema de leche, espolvoreados de queso.

Se puede remplazar la carne de barbacoa por pollo cocido desmenuzado.

TIP: Nunca tirar la cáscara de un trozo de queso. Echarlo en la cacerola de la sopa para darle más sabor. Antes de servir, sacar y desechar.

TORTILLAS

Huarache con Carne Asada

El huarache es una tortilla de masa alargada y gruesa. Se cubre con queso rallado, salsa roja, carne salteada y nopales (tunas) en rodajas en este clásico de comida de la calle.

Ingredientes: para 4 personas

- 1 ½ tazas de harina
- 1 ½ cucharadita sal, y más al gusto
- 1 taza de agua tibia
- ½ taza más 2 cucharadas de aceite de canola
- 1 taza de salsa roja
- 55 g queso Cotija o Parmesano rallado
- 4 filetes de solomillo, de unos 85 g cada uno, golpeado a un grosor de ¼ cm
- 1 cebolla blanca mediana, cortada en rebanadas de ½ cm de espesor
- 850 g nopales 8 (tunas) en rodajas, escurridos y enjuagados
- 2 aguacates, cortados por la mitad, sin semillas y pelados, para servir

Para elaborar los huaraches:

Mezclar la harina, la sal y 1 taza de agua tibia en un bol grande y revuelve hasta que se forme una masa suave.

Amasar la masa en un recipiente durante aproximadamente 2 minutos hasta muy suave pero no pegajosa. Dividir la masa en cuatro partes y dar forma ovalada a cada cuarto de unos 15 cms de largo y ½ cm de espesor.

Calentar 1 cucharada de aceite en una sartén de hierro fundido a fuego medio-alto.

Colocar un huarache en la sartén y cocinar hasta que esté dorado en el borde en la parte inferior, unos 3 minutos. Dar vuelta e inmediatamente extender arriba ¼ taza de salsa y 15 g de queso.

Continuar la cocción hasta que esté dorado en los bordes de la parte inferior y bien cocidos, aproximadamente 2 minutos más.

Pasar a un plato de servir. Repetir este proceso para los demás huaraches.

Regresar la sartén a fuego alto y agregar 2 cucharadas aceite. Sazonar los filetes con sal.

Añadir 2 filetes a la sartén y cocinar, volteando una vez, hasta que estén doradas por ambos lados y bien cocidos, aproximadamente 3 minutos.

Colocar un filete sobre cada huarache, y repetir el proceso para los filetes restantes.

Regresar la sartén a fuego alto y agregar el aceite restante. Agregar la cebolla y cocinar, revolviendo frecuentemente, hasta que estén tiernos, unos 5 minutos.

Añadir los nopales, y cocinar hasta que estén caliente, unos 2 minutos.

Colocar los nopales y la cebolla entre los filetes y servir inmediatamente con medio aguacate en cada plato.

Enchiladas de Queso

Riquísimas enchiladas rellenas de cebolla dulce y una salsa picante.

Ingredientes: para 6 personas

- 8 dientes de ajo sin pelar
- 6 tomates, sin semillas
- 2 chiles Anaheim o 1 jalapeño, sin tallo
- 2 cebollas grandes dulces blancas, una pelada y cortada en cuatro y la otra picada
- 60 g chiles anchos (secos)
- 2 tazas de caldo de pollo
- 2 cucharadas de pasta de tomate
- 2 cucharadita de comino molido
- 2 cucharadas de jugo de limón fresco
- Sal y pimienta recién molida negro, al gusto
- 1 ¼ tazas de aceite canola
- 12 tortillas de maíz
- 6 tazas de queso Cheddar rallado
- ¼ taza de queso semi curado, rallado

- Cebolletas en rodajas, las ramitas de cilantro y crema agria, para adornar
- Frijoles refritos y arroz, para servir (opcional)

Preparación:

Calentar el horno para asar.

Colocar el ajo, los tomates, los chiles y la cebolla en cuartos en una bandeja para hornear forrada con papel de aluminio.

Asar, girando como sea necesario, hasta que estén ligeramente tostados, aproximadamente 8 minutos para los ajos y 12 minutos para que los tomates, los chiles y la cebolla.

Dejar enfriar ligeramente, después pelar el ajo, los tomates y los chiles.

Transferir las verduras a una licuadora y reservar.

Colocar la sartén a fuego alto, agregar los chiles anchos. Cocinar volteando una vez, hasta que estén ligeramente tostados, aproximadamente 2 minutos.

Pasar a un bol y cubrir con 3 tazas de agua hirviendo. Dejar reposar hasta que estén suaves, aproximadamente 20 minutos.

Escurrir los chiles, reservando 1 taza del líquido de remojo. Eliminar los tallos y las semillas de los chiles.

Transferir los chiles y el líquido de remojo a la licuadora.

Agregar el caldo, la pasta de tomate y el comino. Hacer un puré hasta que quede suave.

Verter a través de un colador de malla fina a la sartén y dejar hervir. Reducir el fuego a medio.

Cocinar, revolviendo ocasionalmente, hasta que espese, unos 20 minutos. Agregar el jugo de limón, sal y pimienta. Transferir la salsa a un recipiente poco profundo.

Limpiar la sartén y agregar 3 cucharadas de aceite. Calentar a fuego medio-alto. Cocinar la cebolla picada hasta que estén suaves, aproximadamente 5 minutes.

Transferir a un bol. Añadir el resto del aceite a la sartén. Calentar a fuego medio-alto.

Trabajar en tandas y freír las tortillas hasta flexibles, 10-20 segundos. Pasar a un plato y dejar enfriar un poco.

Calentar el horno a 375 °. Verter 1 taza de salsa de enchilada en el fondo de una bandeja de hornear, dejar a un lado.

Meter las tortillas en la salsa de enchilada restante. Dividir las cebollas de manera uniforme entre las tortillas y espolvorear cada uno con 2 cucharadas de queso Cheddar.

Enrollar las tortillas con fuerza alrededor de las cebollas y el queso. Colocar las tortillas enrolladas en la bandeja preparada, con la abertura hacia abajo.

Verter la salsa restante sobre las tortillas, y cubrir uniformemente con el queso Cheddar restante y el queso semi-curado.

Hornear hasta que el queso se derrita y la salsa burbujea, 18-20 minutos. Decorar con ramitas de cilantro, cebollines y crema agria. Servir con frijoles refritos y arroz, si desea.

VERDURAS

Crema de Maíz

El jalapeño y el cilantro hacen que esta receta sea perfecta para comidas al aire libre. El yogur bajo en grasa es una forma saludable de agregar sabor y cremosidad.

Ingredientes: para 4 personas

- 2 cucharadas de aceite de oliva
- 1 jalapeño, finamente picado
- 1 chalota o cebolla blanca picada finamente
- 4 espigas de maíz, granos y pulpa raspada
- 1/2 taza de yogur bajo en grasa normal
- Sal gruesa y pimienta recién molida al gusto
- 3 cucharadas de queso feta desmenuzado
- 2 cucharadas cilantro fresco picado

Preparación:

En una cacerola mediana, calentar el aceite a fuego medio y cocinar el jalapeño y la chalota, revolviendo, hasta que estén suaves, de 2 a 3 minutos.

Agregar los granos de maíz y la pulpa y 1 taza de agua.

Cocinar, revolviendo, hasta que el maíz esté tierno, de 5 a 7 minutos.

Retirar del fuego. Agregar el yogur, y sazonar con sal y pimienta.

Cubrir con queso feta y cilantro.

Aguacate Relleno de Atún,
Almendras y Nueces

Se aconseja cortar y rellenar los aguacates unos minutos antes de servir.

Ingredientes: para 8 personas

- 100 gr. de nueces picadas
- 100 gr. de almendras peladas y picadas
- 2 latas de atún light (envasado en agua)
- 4 aguacates (palta) pelados y partidos a la mitad
- 4 cucharadas de puré de tomate
- 3 cucharadas de mostaza
- Sal y pimienta al gusto

Preparación del relleno:

Mezclar las nueces en un bol junto con las almendras, el atún y un poco de la pulpa del aguacate y hacer un puré.

Agregar a esta mezcla el puré de tomate, la mostaza, la sal y pimienta. Mezclar bien.

Rellenar los aguacates y servir enseguida.

Chiles Jalapeños Rellenos de Queso

Un plato mexicano muy popular, y un excelente entrante para cualquier ocasión. El chile jalapeño relleno de queso se cubre de masa y se fríe.

Ingredientes: rinde 15 jalapeños

- 15 chiles jalapeños
- 230 g queso Monterey Jack (o algún queso fácil de fundir) a temperatura de ambiente
- ½ taza de queso Cheddar, rallado

Ingredientes: para la masa líquida:

- 1 huevo
- 2 tazas de leche entera
- 2 tazas de harina
- Sal y pimienta al gusto
- Aceite para freír

Preparación de la masa de huevo:

Poner los ingredientes secos en un bol y agregar de a poco la leche, mezclando bien para que sea cremoso.

Agregar el huevo y mezclar pero sin batir. Usar inmediatamente para cubrir los jalapeños.

(Si sobra algo de masa se puede guardar en el refrigerador por un día).

Preparación de los chiles:

Si tiene una cocina a gas colocar los chiles sobre la llama y tostar bien la piel, dándoles vueltas de vez en cuando con pinzas. Si tiene una cocina eléctrica, puede tostar los chiles en la parrilla.

Cuanto más tostados estén, más fácil será quitarle la piel.

Poner los chiles ya tostados en una bolsa de plástico, cerrarla y dejar reposar en el vapor durante 30 minutos a una hora.

Retirar los chiles de la bolsa, dejar bajo agua corriente y quitarles la piel, las venas y las semillas usando guantes desechables o una bolsa de plástico sobre las manos.

Hacer un corte en un costado.

Rellenar con un trozo de tamaño apropiado de queso.

Ya están listos para que sean sumergidos en la masa ya preparada y luego freír.

Pastel de Papas a la Crema

Una receta muy fácil, rápida y económica.

Ingredientes: para 6 personas

- 1 kilo de papas
- 250 g de jamón picado
- 250 g de queso Oaxaca o mantecoso picado
- 1 cebolla grande
- 1 chile poblano grande asado y desvenado
- 1 litro de crema de leche
- Sal y pimienta al gusto

Preparación:

Pelar y cortar las papas crudas en rebanadas no muy gruesas (5mm).

Colocar una capa de papas en un molde para horno engrasado previamente, no dejar espacios.

Luego colocar una capa de jamón y queso y otra con la cebolla en rebanadas y el chile poblano cortado en rajas.

Tapar con otra capa de papas y agregar la crema de leche a toda la preparación. Condimentar.

Tapar el molde con papel de aluminio y llevar al horno precalentado a 180° por aproximadamente 1 hora o hasta que las papas estén cocidas.

A este pastel se le puede variar el tipo de queso utilizado y sustituir el chile poblano por pimiento morrón si se prefiere menos picante.

Papas con Rajas

Los chiles poblanos (rajas) tostados dan un sabor profundo a las papas en este plato típico de México Central.

Ingredientes: para 4 personas

* 340 g papas (patatas) pequeñas, cortadas en discos de ½ cm de espesor
* 3 cucharadas el aceite de canola
* 1 cebolla blanca mediana, cortada en rodajas finas
* 3 dientes de ajo, finamente picado
* 3 chiles poblanos, tostados, pelados, sin tallo, sin semillas y en rodajas finas
* 4 ramitas de epazote o cilantro, picado
* Sal al gusto

Preparación:

Colocar las papas en una olla de 4 litros y cubrir con 2 cms de agua.

Llevar a ebullición a fuego alto y cocinar hasta que estén tiernos, unos 20 minutos.

Escurrir y reservar.

Calentar el aceite en una sartén de unos 24 cms a fuego medio-alto.

Agregar la cebolla y cocinar, revolviendo, hasta que esté ligeramente caramelizada, unos 12 minutos.

Añadir el ajo y los chiles y cocinar, revolviendo, unos 2 minutos.

Agregar las papas y cocinar, revolviendo, hasta que las papas estén muy tiernas, unos 10 minutos.

Retirar del fuego y agregar el epazote.

Sazonar con sal.

*****

GLOSARIO

Aguacate
El aguacate es sinónimo de la palta. Es una fruta delicada, deliciosa y saludable. Se utiliza para hacer guacamole. Picado en trozos pequeños es ideal para una ensalada o usar en rebanadas para adornar muchos platos mexicanos. Se utiliza cuando están algo blandos. Pelar y quitar la semilla y usar como indique la receta.

Alcaparras
Las alcaparras son un ingrediente corriente en la cocina y se utilizan como condimento en pizzas, salmón ahumado, ensaladas o platos de pasta. Es un ingrediente esencial para la salsa tártara y el vitel toné en Argentina, el ajiaco en Colombia y la hallaca tradicional de Venezuela.

Las alcaparras saladas o encurtidas se usan como aperitivo o aderezo.

Antojitos
Los antojitos o comida de la calle son un tipo de aperitivo que forma parte de la cultura mexicana y hay una inmensa variedad. Generalmente es un alimento a base de maíz, rico en grasas (muchas veces frito) y acompañado de una salsa de chile; generalmente es parte de una comida rápida e informal. Son muy nutritivos y pueden constituir una comida muy completa.

Azúcar Impalpable
También se conoce como azúcar glacé o azúcar glas.

Banana
También conocido como plátano.

Burrito
El burrito es un tipo de comida mexicana que consiste en una tortilla de harina de trigo enrollada en forma cilíndrica en la que se rellena de carne asada y frijoles refritos. En contraste, un taco

es generalmente formado al doblar una tortilla a la mitad alrededor de la carne, dejando el perímetro semicircular abierto.

Cacahuete
Sinónimo de cacahuate o también maní.

Camarón
Es un nombre genérico que se da a varias especies de crustáceos de cola carnosa. Equivale a la gamba o el langostino.

Camote
Es una papa dulce o batata. En la ciudad de Puebla, llaman camote al dulce de camote, azúcar y esencia de frutas.

Capirotada
Es el nombre dado al plato creado para utilizar el pan seco. En la actualidad, generalmente se endulza con piloncillo y se enriquece con frutas y especias, pero antiguamente las capirotadas contenían verduras, queso y carnes y eran un tipo de sopa.

Carne Asada
La carne asada se hace con filetes de falda o arrachera (matambre) marinado en jugo de lima o naranja con orégano, sal y cebollas. Se asan (grill) sobre un fuego caliente y luego se cortan en trozos pequeños y se sirven en tacos blandos o como burritos con una variedad de condimentos de alimentos mexicanos.

Cebolla Blanca y Cebolla Amarilla
Las cebollas blancas son más dulces que las cebollas amarillas, lo que las hace preferibles para utilizarlas crudas arriba de las hamburguesas y para darle sabor a las ensaladas. Debido a su sabor más suave, se recomiendan las cebollas blancas en platos donde el sabor es preferentemente suave y tenue. Son ampliamente utilizadas en platos mexicanos, así como en sopas, guisos y estofados.

Las cebollas amarillas se utilizan tradicionalmente en las recetas en que su sabor fuerte es importante para el éxito del plato como el quiche, la pizza, los platos fritos o para el hígado, las cebollas salteadas o para caramelizar.

Ceviche

El ceviche es pescado o marisco crudo cortado en trozos pequeños y marinados en jugo de lima. (También puede ser jugo de limón o naranja agria). Luego se agregan tomates, cebollas, chiles y especies y se sirve con chips o galletas saladas.

Chalote

El chalote es un pariente de la cebolla. Su sabor es semejante a la cebolla, pero es más dulce y suave.

Chiles

Los chiles, junto con los frijoles y las tortillas, son los productos más característicos de la cocina mexicana. Los chiles aportan sabor, color, textura y aroma...y con el toque picante, avivan cualquier plato. Están presentes en todas las comidas o en salsas, sean crudos, guisado o frito.

Existen más de 60 variedades de chiles. Estas varían en su tamaño, color y sabor variando desde muy suave a un picante fuerte. La mayoría de los chiles frescos son muy picantes. Los chiles suaves se suelen consumir rojos y secos. En México les gusta el chile muy picante majado en forma de cayena molida. Las variedades suaves como el chile pasilla, ancho, mulato y negro, una vez mezclados, dan lugar al condimento de inconfundible sabor que suele denominarse guindilla molida suave. Están los chiles frescos y los chiles secos.

Chiles Anaheim

Es un chile verde que se utiliza en muchas recetas mexicanas. Es un chile suave y se toman rellenos como si fueran pimientos. Cuando seco, se lo conoce como chile seco del norte.

Chiles Anchos

Son los chiles poblanos secos de color vino o rojo oscuro. Su sabor es suave y se usa en muchas salsas. Todos los chiles rojos secos son mejores si se les saca primero las venas y las semillas. Luego dejar remojar por una hora en suficiente agua caliente para taparlos. Luego se licuan junto con el agua y se agrega a la receta.

Chiles Chipotle

Los chipotles son los chiles jalapeños que se secan ahumado. Son rojo oscuro y arrugados. Su sabor es muy particular y delicioso. Son picantes. Se utilizan para salsas, adobos y enteros, se usan para sopas y guisos. Se puede comprar ya listo, preparado en un aderezo.

Chiles Guajillo

En la foto, el chile largo es el chile guajillo y el más ancho es el chile ancho (ver comentario anterior) El chile guajillo es un chile seco y rojo que añade más color que sabor a los platos mexicanos. Es largo, unos 10 cms, delgado y de piel lisa. Se utiliza para salsas y adobos. Cuanto más pequeño, más pica. Todos los chiles rojos secos son mejores si se les saca primero las venas y las semillas. Luego dejar remojar por una hora en suficiente agua caliente para taparlos. Luego se licuan junto con el agua y se agrega a la receta.

Chiles Güero

Los chiles güero o güeritos son pequeños, amarillos y puntiagudos en la punta. Son picantes. Se utilizan fresco o al escabeche.

Chiles Habanero

Estos chiles son los más picantes de todo. Son de color naranja y parecen como una pequeña campana. Su sabor es delicioso si se usa pequeña cantidad. Son más comunes en el sur de México.

Chiles Jalapeño

Son los más populares de los chiles mexicanos. Pueden ser rojos o verdes, con forma curvada y miden de 4 a 6 cms. Son carnosos de rico sabor y picantes. Se utilizan mucho y son ideales para rellenos y escabeche con zanahorias y cebollas como también como condimento en salsas y muchos otros platos. EL jalapeño es ideal para utilizar para hacer salsas ligeras ya que tienen un sabor fuerte pero no tan picante como otros chiles.

Chiles Meco

Este es el chile chipotle seco pero sin ahumar.

Chiles Poblano
Son grandes y de color verde oscuro y disminuye su tamaño en la punto. Son los mejores para rellenar. Pueden ser suaves o bastante picantes. Se cortan en rajas o se muelen para sopas. Se asa y se pela antes de usarlo.

Chiles Serrano
Este chile fresco es verde brillante y parecido al jalapeño pero es más pequeño, unos 3 cms de largo, delgado y puntiagudo. Es muy picante. No tiene piel gruesa por lo que se acostumbra comerlo solo como también en salsas crudas o cocidas, guisados y en escabeche.

Chiles Verde
Este chile es medianamente largo, de color verde claro de sabor suave y perfecto para rellenos. En México también los usan picado o los hacen puré para agregar a salsas, las sopas o cazuelas. Su piel es dura pero sale fácilmente si primero se quema un poco sobre una llama y luego se deja al vapor en una bolsa de papel durante unos minutos.

Cilantro
Es una hierba usada por todo el país para realzar el sabor de salsas y muchísimos platos. También se usa por su color verde brillante para adornar los diversos platos.

Condimentos mexicanos
Hay otros condimentos frecuentes en la cocina mexicana aparte de los chiles. Son muy comunes la pimienta negra, el clavo, la canela, el cacao y el comino al igual que hierbas como la mejorana, la menta, el orégano, el epazote y el cilantro fresco. Las cebollas y el ajo son la base de las salsas y los cuartos de lima o limón acompañan los platos de carne, pescado o sopa.

Crema
En las recetas, la crema es sinónimo de crema fresca de leche o nata.

Elote

En México se le llama elote a la mazorca de maíz que todavía está en la planta que la produjo (tanto maduras como inmaduras), o bien a la que fue recientemente cosechada y en la cual los granos todavía guardan la humedad natural. En el Cono Sur el término para elote es choclo. En Venezuela, se llama jojoto. A la mazorca del maíz sin granos se le llama olote.

Enchiladas

En México la enchilada se elabora con tortilla de maíz bañada en alguna salsa picante utilizando chile en su preparación. La enchilada puede ir acompañada o rellena de carnes —pollo, pavo, res o queso; además de ser acompañada de alguna guarnición adicional, que generalmente consiste en cebolla fresca picada o en rodajas, lechuga, crema de leche y queso.

Epazote

Es una hierba de origen mexicano de hojas largas y color verde oscuro. Su aroma es muy particular y es picante Se utiliza mucho para la elaboración de salsas para pescados, mariscos, carnes, frijoles, así también en muchos guisos y tamales.

Fécula de Maíz

La fécula de maíz o almidón del maíz se la conoce mejor por el término de 'maicena' o 'maizena' aunque estos dos nombres se refieren a la marca y no al producto. La fécula de maíz es una harina blanca muy fina y se usa en la repostería o para espesar las salsas etc.

Frijoles

También se conocen como habichuelas o porotos, alubias o judías; son un tipo de legumbre. Es uno de los alimentos básicos de la dieta mexicana. Se comen todos los días en guisos o como relleno de una tortilla. Hay muchas variedades (bayo, ayacote, meco, negro, roja, canario, catarino). Hay muchas maneras de preparar los frijoles como por ejemplo, borrachos, de olla, refritos, colados, charros, enchilados, maneados, puercos, etc.

Frijoles Secos – su preparación

Colocar los frijoles en una cacerola grande. Cubrir con agua y dejar en remojo durante la noche. Escurrir y enjuagar. Agregar más agua, el doble del volumen de frijoles. Cocinar hasta que estén tiernos. Sazonar y servir.

Guindilla

Es un chile pequeño de color verde o rojo y muy picante. Se utiliza mucho en la cocina mexicana. Es de aroma intenso y pulpa fina.

Jícama

Es un tubérculo que puede llegar a 30cms. Es parecido al nabo. En su exterior es amarillo, y en su interior es blanco cremoso, de textura quebradiza semejante a la de una papa cruda o de una pera. El sabor es dulce y almidonado. Generalmente se consume crudo, con sal, limón y chile o en ensaladas. También se prepara cocinado, en sopas, asada o frita. Es común la preparación de jugo (zumo) de jícama.

Jitomate

En la práctica es sinónimo de tomate.

Leche Evaporada

Es la leche entera, que en su proceso de elaboración se le ha quitado cerca del 60 % del agua existente en la leche. No contiene azúcar agregada. Queda más espesa que la leche común pero más líquida que la leche condensada.

¿Lima o Limón?

En la gastronomía mexicana se utiliza mucho la lima. La lima es parecida al limón pero no es igual. La lima suele ser más pequeña y con cáscara verde y el limón suele ser de cáscara amarilla y puede llegar a ser mayor de tamaño.

El jugo de limón es más ácido y las limas son más nutritivas.

En la gastronomía se utiliza frecuentemente el jugo de limón en las marinadas, los aderezos para ensalada y sobre el pescado para resaltar el sabor del alimento. Su acidez hace que la comida sepa más dulce y menos ácida. Por ejemplo, el limón se acompaña con la miel en las infusiones.

Para que la comida sepa más picante se utiliza más bien el jugo de lima. El jugo de lima también se usa con mayor frecuencia en los postres que el limón.

Marinar
Se pone a reposar un pescado en jugo de lima, limón, vinagre o vino y hierbas aromáticas por un tiempo determinado.

Molcajete
El molcajete es un utensilio de cocina mexicano tipo mortero. Se utiliza para triturar diferentes productos alimenticios, como chiles, granos, especies y vegetales, destinados a la preparación de salsas y otros platillos. Para moler los ingredientes se utiliza un cilindro de piedra llamado tejolote.

Mole
Mole es una salsa espesa a base de chiles y especias.

Nopal
Es el cactus que produce las tunas. Quitadas las espinas, las pencas sirven de base para ensaladas y salsas.

Papas
Es sinónimo de patatas.

Pastel
Es sinónimo de torta o tarta.

Piloncillo
Se refiere al azúcar oscuro sin refinar. Se sustituye con azúcar morena.

Pimiento Morrón
Morrón, ají morrón, pimiento, chile morrón, pimiento morrón o pimentón es el nombre dado a cierta variedad de chile cuya característica es la ausencia de sabor picante. Los pimientos morrones son nativos de México, América Central y norte de Sudamérica.

El pimiento morrón cuando está verde es menos dulce. Los morrones pueden consumirse verdes (inmaduros) o maduros, pudiendo ser estos últimos de color rojo, amarillo o naranja, dependiendo de la variedad. A diferencia de los ajíes o chiles, que son picantes, los morrones poseen un sabor suave y un cuerpo carnoso, son generalmente de gran tamaño y tienen una característica forma entre cuadrada y rectangular, mientras que los ajíes tienden a tener forma de vaina.

Es un ingrediente tradicional de las comidas de muchos países tanto como condimento como por su color en la decoración de los platos.

El pimiento morrón desecado y molido, suele denominarse pimentón y paprika.

Rajas
Estas son los chiles poblanos tostados, cortados en juliana.

Salsa Mexicana
Esta salsa es el plato más típico de México ya que es el plato básico de cualquier receta mexicana. Los ingredientes básicos son el chile verde, cebolla y tomate picado finamente, cilantro y especies. Pero cada cocinero tiene su forma particular de hacerla así que en la práctica no se encuentra dos salsas con el mismo sabor.

Las salsas se pueden elaborar con los alimentos crudos o cocinados. Se sirve a menudo como entrante con chips o para realzar cualquier plato, desde huevos a platos principales.

Sopaipillas
Sopaipilla es el nombre que se le da a un conjunto de alimentos de diversas clases, cuyo rasgo común es estar hechos con una masa de harina de trigo frita en aceite o manteca. Existen muchas variantes en su preparación de acuerdo a la zona, y se conocen como sopaipas, o torta frita o chipá.

Tacos

Un taco es una tortilla doblada en dos con una especie de relleno que varía dependiendo de cada región. La mayoría de los tacos están hechos con tortillas de maíz, a excepción del norte donde predominan las de harina de trigo.

Hay dos tipos de tacos: los fritos y los blandos. Ambos se elaboran con tortillas de maíz.

Para los tacos fritos, freír en poco aceite, luego doblar por la mitad y rellenar con carne o pollo desmenuzado. Luego agregar lechuga, tomates, queso y un poco de salsa fresca.

Los tacos blandos no son fritos. Se calientan y luego se rellenan con carne asada al grill o filete marinado, carnitas de cerdo o pescado frito.

Tomatillos

Los tomatillos parecen unos tomates pequeños verdes. Es una hortaliza originaria de México. Son muy sabrosos y se utilizan en muchas salsas especialmente la salsa verde. También en sopas, antojitos, guisados típicos, vistiendo a todos estos platos con su vivo color verde.

Además, es una excelente alternativa para ampliar y enriquecer las utilizaciones del tomate.

Escoger preferentemente los más pequeños y frescos con la piel firme. Por lo general, el tomatillo se usa asado o cocido. Nunca debe ser expuesto prolongadamente al fuego porque se amarga. Al hervirlo o asarlo, sólo dejar el tiempo necesario para que se ablande.

Tortillas

Estas son discos redondos de masa de maíz o de harina que se tuestan brevemente. Sustituyen al pan de trigo y se usan para envolver en ellas los alimentos. Las tortillas suelen ser de trigo en el norte de México mientras que en el sur suelen ser de maíz. La tortilla es uno de los alimentos básicos de la cocina mexicana. Si la tortilla de maíz se come recién hecha, es un taco tierno, si se fríe, se torna crujiente.

Las tortillas se utilizan en muchísimas recetas mexicanas de diversas maneras. Algunas de ellas son:

Tostadas es el nombre dado a la tortilla frita y son crujientes.

Enchiladas: son las tortillas de maíz secas (que no se desperdician) dobladas en dos, mojadas en salsa, acompañadas de pollo deshebrado, queso y crema.

Taco: es una tortilla de maíz enrollada con cualquier relleno. Si es elaborada con harina se llama burrito.

Chilaquiles: son las tortillas de varios días cocinadas, fritas y recubiertas en salsas y otros ingredientes como queso o crema..

Cortadas en cuatro: se doblan y sirven de cuchara. Los mismos triángulos tostados o fritos se llaman totopos.

Nachos son hechos de las tortillas de maíz recién hecho y cortadas en triángulos pequeños.

Totopos
La tortilla cortada en triángulos, tostada o frita se conoce como totopos. Es crujiente y se utiliza mucho para acompañar los frijoles, las salsas, el guacamole, etc.

*****

Estimado Lector

Nos interesa mucho tus comentarios y opiniones sobre esta obra. Por favor ayúdanos comentando sobre este libro. Puedes hacerlo dejando una reseña en la tienda donde lo has adquirido.

Puedes también escribirnos por correo electrónico a la dirección *info@editorialimagen.com*

Si deseas más libros como éste puedes visitar el sitio de **Editorialimagen.com** para ver los nuevos títulos disponibles y aprovechar los descuentos y precios especiales que publicamos cada semana.

Allí mismo puedes contactarnos directamente si tienes dudas, preguntas o cualquier sugerencia. ¡Esperamos saber de ti.

Más Libros de Interés

Las Más Fáciles Recetas de Postres Caseros

Esta selección contiene recetas prácticas que, paso a paso, enseñan a preparar los postres, marcando el tiempo que se empleará, el coste económico, las raciones y los ingredientes.

Recetas de Carnes - Selección de las mejores recetas de la cocina británica.

La carne es la protagonista en la mayoría de los platos de muchas culturas y naciones del mundo. Te ofrecemos más de 90 de las más populares recetas inglesas de diversas carnes que incluyen también aves y caza, tartas con carne, recetas de carne con gelatina, salsas para acompañar a las carnes y además, rellenos para las carnes.

Recetas de Pescado - Pescado y Salsas con sabor inglés.

Algunas recetas populares y a la vez muy fáciles, de la cocina británica. Se presentan diferentes maneras de cocinar el pescado, como así también tartas de pescado y salsas para acompañar el plato.

Recetario de Tortas con sabor Ingles

Si buscabas recetas de cocina británica este libro es para ti. El mismo contiene una selección de recetas de tortas con sabor inglés. Incluye 80 recetas para toda ocasión, las cuales van desde lo más sencillo hasta lo más especial, como por ejemplo, una boda.

Cupcakes, Galletas y Dulces Caseros: Las mejores recetas inglesas para toda ocasión

En este libro de recetas te ofrezco cerca de 100 de las más populares recetas inglesas con las cuales podrás sorprender a tu familia o tus invitados, ofreciendo un detalle sabroso que seguro apreciarán.

Recetas Vegetarianas Fáciles y Baratas - Más de 100 recetas vegetarianas saludables y exquisitas

Si buscabas recetas de cocina vegetariana este libro de recetas es para ti. El mismo es un recetario que contiene una selección de recetas vegetarianas saludables y fáciles de preparar en poco tiempo. Este recetario incluye más de 100 recetas para toda ocasión, y contiene una serie de platos sin carnes ni pescados, con una variedad de recetas de Verduras, Huevos, Queso, Arroz, Ensaladas.

Printed in Great Britain
by Amazon